T3-BNN-664

РУССКИЙ ПРОЕКТ®

Романы Александра Бушкова:

На то и волки...

Волк насторожился

Волк прыгнул

Бешеная

Танец Бешеной

Капкан для Бешеной

НКВД: война с неведомым

Бульдожья схватка

Дикое золото

Волчья стая

Непристойный танец

Четвертый тост

Стервятник

Дикарка

Пиранья. Первый бросок

Пиранья. Звезда на волнах

Пиранья. Жизнь длиннее смерти

Пиранья. Бродячее сокровище

Пиранья. Флибустьерские волны

Пиранья. Озорные призраки

Охота на Пиранью

След Пираньи

Крючок для Пираньи

Возвращение Пираньи

Пиранья против воров

Пиранья против воров-2

Александр Бушков

Озорные призраки

Пиранья

МОСКВА
ОЛМА-ПРЕСС
2005

УДК 821
ББК 84(2Рос-Рус)6-4
Б 90

Художник
В. Люлько

Оформление переплета
А. Шпаков

Бушков А.

Б 90 Пиранья. Озорные призраки: Роман. — М.: ОЛМА-ПРЕСС; ОАО ПФ «Красный пролетарий», 2005. — 351 с. — (Русский проект).

ISBN 5-224-05032-4
ISBN 5-85197-285-8

В южной суверенной республике назревает переворот. Перед Кириллом Мазуром и его напарником Лавриком поставлена четкая задача – переворот предотвратить. Это решено на самом высоком уровне, поскольку президент южной республики Аристид безусловно является прогрессивным элементом, и мировому сообществу следует дать незамедлительный отпор проискам капитала и мирового империализма.

Однако перед Мазуром стоит нелегкая задача. Оппозиция наняла Майкла Шора, того самого Бешеного Майка, Мистера Смерча. Мазур еще в пионерском галстуке расхаживал, когда Майкл Шор устраивал свои первые перевороты. Он ни разу не проигрывал за четверть века...

УДК 821
ББК 84(2Рос-Рус)6-4

ISBN 5-224-05032-4
ISBN 5-85197-285-8

И я пошел своей дорогой,
а Смерть — своей...

Роберт Бернс

Глава 1
Эти двое, обаятельные

Машинка была японская, с правым рулем — а значит, как нельзя лучше подходила для здешних мест, пару сотен лет пребывавших под британским владычеством. Потому и уличное движение здесь, как легко догадаться, левостороннее, каковым осталось и после обретения независимости. Непривычно, конечно — но, во-первых, за рулем сидел не Мазур, а во-вторых, он не впервые оказался в местах, где машины ездили не по той стороне. Как и Лаврик, довольно сноровисто управлявшийся с ездой на британский манер.

Асфальт давным-давно кончился, дорога уходила все дальше в гору, японская двухдверная коробушка тарахтела и поскрипывала ввиду преклонного возраста, но тянула, в общем, исправно, не таким уж крутым был подъем.

Лаврик молчал, выставив локоть в открытое окно и насвистывая нечто бодрое, насквозь западное, стопроцентно вязавшееся с принятой ролью — два белых парня с безупречными австралийскими паспортами, не состоящие в международном розыске, не отягощенные криминальным прошлым, небогатые, зато благонадежные и законопослушные, а это порой заменяет любые капиталы... Если не приглядываться к ним *вдумчиво*, с использованием немаленьких возможностей какой-нибудь серьезной спецслужбы — ничем не примечательные ребята, каких по всему свету отирается немало.

Мазур мельком подумал, что ему уже пора испытывать к далекой Австралии, где он в жизни не бывал, нечто вроде родственных чувств. Самое время, если учесть, что он не единожды объявлялся в разных экзотических местах в облике именно австралийского подданного — и в качестве такового мог многое рассказать о стране кенгуру. С таким знанием дела, что даже урожденные австралийцы могли бы на Библии присягнуть, что имеют дело с земляком.

Ну, что прикажете делать? Людям вроде них в подобной ситуации выбирать особенно не приходится. Родину себе следует назначить либо из разряда каких-нибудь экзотических стран вроде Исландии (риск напороться на въедливого земляка и вовсе минимален), либо из отдаленных и достаточно обширных...

Вокруг буйствовала экзотическая зелень — зрелище настолько приевшееся, что Мазур и внимания не обращал на окружающий пейзаж, разве что вовремя отстранялся, когда выступающая ветка норовила хлестнуть по физиономии. Зачем они тащатся в горы, он понятия не имел. Он вообще представления не имел, за каким лешим тут оказался — милях примерно в шестистах от того островка, где они очень даже неплохо поработали и даже унесли ноги совершенно незамеченными, что не с каждым случается. На почти таком же островке, бывшей британской колонии, ныне независимом и суверенном государстве.

Все это, конечно, было совершеннейшей неожиданностью. Он ожидал, что из Гаваны улетит домой — но вместо этого внезапно оказался в суверенной республике: без своих парней, лишь в компании Лаврика. Получив только минимальный инструктаж — без единого словечка о целях и задачах. Ситуация не самая приятная, но такова уж служба. Проще всего относиться к подобным вещам философски...

Ясно одно: здесь, голову прозакладывать можно, предстоит работать. Ведь не простерлись же доброта и расположение командования настолько, что его с поддельным паспортом отправили попросту поваляться на пляже и пошататься по барам экзотического острова после успешно выполненного задания? В их системе подобная филантропия категорически не в ходу, и мечтать нечего...

Лаврик, высмотрев подходящее местечко, съехал с дороги прямо под раскидистую крону какого-то внушительного дерева, выключил мотор и вылез с таким видом, что сразу понятно: достигли желаемой цели. Мазур без особой спешки десантировался следом.

Справа зеленели джунгли, откуда доносился птичий щебет — экзотический, понятно, не имевший ничего общего с прозаическим щебетанием воробьев. Слева дорога была огорожена бетонной стенкой примерно по пояс человеку, и оттуда, с крутого обрыва, открывался великолепный вид на долину.

Лаврик огляделся. Неподалеку торчала у парапета молодая парочка в белых шортах и ярких майках — судя по первому впечатлению, только что прибывшие, не успевшие толком загореть беззаботные белые люди. Вместо того, чтобы любоваться видом, они самозабвенно слились в длиннейшем поцелуе и к окружающему были равнодушны. Но Лаврик добросовестно прошагал вдоль серой бетонной стенки еще метров двести и отыскал местечко, где та парочка ни за что не могла бы подслушать разговор без применения технических средств — а насколько можно судить по их скудной легкой одежонке, помянутых средств у них с собой просто не может быть, спрятать некуда...

Окончательно выбрав место, Лаврик оперся локтями на бетон и с расслабленным, ленивым видом принялся таращиться вниз. Мазур выжидательно потоптался рядом.

— Устраивайся, — сказал Лаврик, не поворачивая головы. — Мы сюда надолго.

Тогда Мазур принял ту же позу. Сунул в рот сигарету и терпеливо ждал.

— Присмотрись, — сказал Лаврик.

— К чему?

— К долине, — показал Лаврик подбородком.

Мазур добросовестно присмотрелся. Это была обширная, протяженная долина, с трех сторон ее полукольцом окружали поросшие буйной кучерявой зеленью горы, с четвертой синело море. В общем, ничего особенного. Пейзаж напоминает Ялту.

— И к строениям присмотрись, — сказал Лаврик задумчиво.

Мазур столь же добросовестно присмотрелся и к строениям. Их там было немало. Вдоль берега, за широкой полосой золотого песка, стояли шеренгой белые многоэтажные отели, довольно современной постройки, окруженные примыкающими к ним стеклянными террасами, еще какими-то модерновыми пристройками и прочими буржуйскими архитектурными излишествами вроде куполов из нежно-голубого стекла.

В долине, между отелями и горами, было разбросано там и сям еще не менее трех десятков домов — только эти были поменьше и пониже, самый высокий в три этажа, кажется. Восемь многоэтажек и куча коттеджей, иные в виде средневековых замков, иные выглядели более современно. Но всех их объединяло одно: на бедняцкий район это не походило совершенно, вовсе даже наоборот. Ухоженные клумбы, аккуратные рощицы, ряды фонарей, безукоризненные асфальтированные дорожки, кое-где виднеются разноцветные машины, опять-таки не бедняцкого вида...

— Это и есть Райская долина, — сказал Лаврик неторопливо. — Главная статья дохода местной экономики...

— Я помню, — сказал Мазур. — Вся прочая экономика представлена парочкой консервных заводиков и тому подобной мелочевкой. В самом деле, основа процветания... Красиво. Насколько я помню, постоялые дворы на тугой кошелек рассчитаны?

— Главным образом.

Интересно, подумал Мазур. Меньше всего это местечко — и в самом деле Райская долина — похоже на тот район, где нужно *работать.* Ни единого военного объекта. Здесь вообще нет военных объектов — разве что казарма для сотни национальных гвардейцев и ангар для их техники: два десятка джипов, четыре грузовика и четыре колесных броневика, чуть ли не вторую мировую помнивших. В военном плане — убогость совершеннейшая. Обижать всерьез подобную страну — для настоящего профессионала прямо-таки унизительно, все равно что кружки в пивной тырить...

А впрочем... Их работа сплошь и рядом военных объектов и не касалась вовсе.

— Короче говоря, — сказал Лаврик, — это райское местечко приносит кучу денег. Нет, не в государственный бюджет. Бюджету достаются только налоги. Это, конечно, тоже деньги, но по сравнению с тем, что имеет собственник — слезки... Хочешь психологический тест? Вот лично ты, что сделал бы на месте здешнего, законно избранного президента, господина Аристида?

— Дай подумать, — сказал Мазур. — Тут не так уж много вариантов подворачивается... Повысить налоги с владельцев?

Лаврик ухмыльнулся, поморщился:

— Мелко, мелко...

— Национализировать их тогда, что ли? — вслух предположил Мазур.

— В яблочко! — ухмыльнулся Лаврик. — Господин президент всерьез собрался Райскую долину национализировать. Уже документы готовы, даже текст обращения к народу...

Мазур пожал плечами:

— Это, конечно, не мое дело, он у меня совета не спрашивал. Только есть сильные подозрения, что после национализации вся эта благодать работать будет через пень-колоду: краны моментально потекут во множестве, бифштексы начнут подгорать регулярно, обслуга разленится. Насмотрелся я по всему свету, что случается с такими вот национализированными райскими уголками, да и ты тоже...

— Пожалуй, — спокойно согласился Лаврик. — Но это, в принципе, не наше дело и совершенно не наша забота... В общем, Аристид всю эту красоту вот-вот национализирует. Народу это наверняка понравится. Народ обожает, когда национализируют что-нибудь большое и красивое... Шумно, звонко, эффектно...

— А владельцы? — ухмыльнулся Мазур. — Если бы я был здешним хозяином, мне такие забавы ужасно не понравились бы...

— Вот то-то. Очень уж хорошие денежки. Взвыл купец Бабкин, жалко ему, видите ли, шубы... Короче говоря, владельцы оказались ребятами не промах. Заранее прознали о готовящейся заварушке и приняли меры. Скинулись на приличную сумму, улетели на соседний остров и обсудили там все, со знающими людьми посоветовались... Дальше растолковывать?

— Не надо, — сказал Мазур. — Не первый год замужем. Переворот? Или просто какой-нибудь маргинальный шизофреник с пистолетом.

— Переворот, — сказал Лаврик. — Шизофреник с пушкой — это, в общем, полумера. Половинчатое решение проблемы. У президента единомышленники есть, верные люди. Тут уж гораздо надежнее как раз переворот завернуть по всем правилам...

— Логично.

— Еще бы. Тебе дальше растолковывать, или еще раз проявишь смекалку?

Мазур думал совсем недолго. Тяжко вздохнул:

— Ну, поскольку вряд ли *нам* переворот делать, чует мое сердце, задача совершенно противоположная маячит...

— Светлая у тебя голова, — растроганно сказал Лаврик. — Ну да, снова в десяточку. Переворот мы будем предотвращать. Задача поставлена четкая и, как водится, не терпящая ни обсужденйй, ни проигрыша. Там, — он показал пальцем куда-то в лазурное небо без единого облачка, — на самом высоком уровне решено: поскольку президент Аристид безусловно является прогрессивным элементом, хотя и абсолютно не подкованным касаемо самого передового в мире учения, следует дать незамедлительный отпор проискам капитала и мирового империализма.

— Та-а-к... — сказал Мазур. — Интересное уточнение. Кто тут припутан — ЦРУ? Или нечто аналогичное?

— Да нет, — сказал Лаврик. — Насчет мирового империализма — это я для красного словца. Необходимая фигура речи. Коли уж на одной стороне — прогрессивный президент и национализация имущества пузатых буржуев, на другой, дело ясное, обязан находиться мировой империализм...

— А конкретно?

— Конкретно... Ты знаешь, интересная конкретика. Наши буржуи — люди не бедные. И, как уже прозвучало, подошли к делу серьезно. В общем, они наняли Майкла Шора. Того самого Бешеного Майка, Мистера Смерча...

В первую минуту Мазур ощутил, надо честно признаться, нечто вроде откровенно детского восхищения. Как мальчишка, которому дали пощелкать настоящим пистолетом...

Бешеный Майк — это фигура. Это фирма. Это легенда...

Мазур еще в пионерском галстуке расхаживал, когда Майкл Шор устраивал свои первые перевороты: из плюхнувшегося на полосу частного самолетика бросаются, рассыпаясь веером, не теряя ни секунды, хваткие парни, назубок знающие свой маневр — и вот уже аэропорт взят... с моря, молотя скупыми пулеметными очередями, летят надувные лодки с подвесными моторами — и охрана президентского дворца смята в минуту... две дюжины верзил в лихо заломленных беретах, словно из воздуха возникнув, вмиг меняют в далекой островной стране и премьер-министра, и правительство, и все прочее...

Разумеется, в *больших* странах Бешеный Майк никогда не светился — знал свой потолок и выше головы никогда не прыгал. Но в маленьких, экзотических, вроде этой, провернул столько переворотов, что пальцы утомишься загибать. И, что характерно, ни разу не проигрывал. Что он задумывал, того и добивался с завидным постоянством, и дело тут не в везении, а в сугубом профессионализме.

— Так, — сказал Мазур. — А они, точно, не дураки... Слушай, он же ни разу не проигрывал за четверть века!

Лаврик прищурился:

— А когда-нибудь он играл против *нас*?

— Ни разу.

— Вот то-то. А у тебя, между прочим, глаза разгорелись. Неплохое дельце, а? Надрать задницу Бешеному Майку...

— Да уж, да уж... — сказал Мазур с мечтательной яростью. — Это было бы совсем неплохо, да что там — мечта профессионала, откровенно говоря... — он спохватился. — Послушай, а почему моя группа до сих пор...

— Потому что не будет группы, — сказал Лаврик, глядя в сторону. — Мы с тобой и есть группа.

— Ты серьезно?

— Абсолютно. Там, — он повторил давешний жест, уставив палец в лазурный небосклон, — считают, что двое орлов вроде нас с тобой всецело оправдают доверие. В конце-то концов, означенный Майкл Шор — не более чем международный авантюрист, ландскнехт, кондотьер, солдат удачи... Шаромыжник, в общем.

— Ага, — сказал Мазур. — Отсюда следует, что мы с тобой этого любителя в два счета поборем?

— Ну, предположим, он и в самом деле *любитель*, а? — сказал Лаврик со своей неподражаемой улыбочкой. — Чистой воды любитель, сколько бы президентов ни скинул. Даже если время от времени и сотрудничал с какой-нибудь *конторой*, он все же, по сути вещей, любитель. А мы с тобой, два таких обаятельных, — профессионалы на службе не самого хилого государства. Сечешь нюанс? Чего приуныл?

— Да боже упаси, — сказал Мазур. — Ничего подобного.

Он и в самом деле не пал духом — интересно, с чего бы? Он просто-напросто в секунду переместился в какое-то другое измерение, как случалось сто раз допрежь. Окружающее было отныне не декорациями, а рабочим местом, цель обозначилась ясная и конкретная, а на эмоции права не было, как и на собственное мнение...

— У тебя есть какие-нибудь лирические отступления, пока мы не начали рисовать партию? — деловым тоном осведомился Лавр.

— Пожалуй, — сказал Мазур. — А не проще ли было бы стукнуть на него местным? Коли уж наши знают о задумке, то и подробности наверняка известны, достаточно, чтобы...

— *Местным*? — переспросил Лаврик все с той же улыбочкой.

— Прошу пардону, — сказал Мазур, прилежно перебрав в уме местные реалии. — Погорячился, ерунду спорол-с... Даже если предупрежденные местные всю свою армию на улицы выведут, дело хотя и сорвется, но со злости Майк ихнее бравое воинство, пожалуй что, ополовинит...

— Вот именно. А кому нужна такая мясорубка? Президент, не забывай, прогрессивный, а следовательно, и перспективный в плане возможного будущего сотрудничества. Начнет с национализации, а там, смотришь, и на что-нибудь большее сподвигнется. Не годится, чтобы у него армию отполовинивали и столицу жгли. Еще мысли по поводу?

— Ну, не знаю, — сказал Мазур. — Англичанам можно было бы стукнуть через третьих лиц, дело знакомое. Держава здешняя как-никак — член Британского Содружества. Пусть сами порядок и наводят.

— Отпадает, — сказал Лаврик. — Те, кого Аристид нацелился раскулачить, — как раз британские подданные. Люди солидные, этими постоялыми дворами их хозяйство отнюдь не исчерпывается. А поэтому, сам понимаешь, нужно действовать с оглядочкой. Вдруг они как раз и нажали какие-то пружинки в Лондоне, и кто-то им помогает, как джентльмен джентльменам... Бывали прецеденты. Сам Майк пару раз в похожих ситуациях как раз и оказывался замешан. Знакомая цепочка: частники — государство — кто-то вроде Майка...

— Да знаю я, — сказал Мазур. — Нам этого Майка и ему подобных отдельным семинаром читали... да и тебе, наверняка, тоже. Ну ладно. Легко догадаться, что мы вовсе не должны будем с Майковой бандой перестреливаться в открытую. Иначе не послали бы только двоих... а впрочем, в любом случае речь шла бы не об открытой акции?

— Ну конечно, — сказал Лаврик. — К чему такие пошлости? Пальба в открытую... Государство какое-то. Гораздо выгоднее задумку эту потихонечку провалить, и лучше всего на последней стадии. Примерно так, как это было с операцией «Акула». В последний момент, когда ничего уже нельзя изменить, переиграть и поправить...

— Согласен.

— Предварительные соображения есть по действиям противника?

— Ну разумеется, — сказал Мазур. — Обычная полиция — эти фазаны в белом на перекрестках и те, что следят за покоем туристов — ему не противники вообще. Их потолок — пьянчужки и карманники. Национальная гвардия... Обычно в казарме на боевом дежурстве торчит только четверть. Двадцать пять — тридцать гавриков. Да и боевым дежурством я это называю только из вежливости. За все четыре года независимости не случалось ничего *серьезного*, а это расхолаживает. Они там, надо полагать, сутки напролет в карты режутся и журналы с голыми бабами листают до дыр... Разведка... Ну, это уже по твоей части.

— Разведка тут, как ни странно, имеется, — сказал Лаврик. — Человек аж двадцать. И работает она по трем-четырем таким же крохотулькам-соседям, главным образом контрабандистов ловит и мелких поставщиков порошочка. В расчет не берем. Супротив Майка они что плотник супротив столяра...

— Что у нас еще? — вслух подумал Мазур. — Охрана президентского дворца чисто символическая — пара придурков в камзолах восемнадцатого века у входа и парочка полицейских внутри...

— Примерно так.

— Что у нас в итоге? — медленно произнес Мазур. — В итоге у нас получается, что серьезному дяде вроде бешеного Майка свергнуть здешнего президента даже проще, чем официантку изнасиловать — официантка, по крайней мере, будет всерьез царапаться и кусаться... Итак, насколько я знаю Майка заочно... Насколько я знаю Майка, у него будет человек тридцать... а то и двадцать. Его обычный стиль. Один раз только у него набралось аж сорок два, но это было в Сен-Мароне, а там у премьера все же имелось не менее роты настоящей, французами вышколенной десантуры... Ну да. Человек двадцать для здешнего президента за глаза хватит. Экономически выгодно, к тому же, если так можно выразиться: он же не на государство работает и не на идею, ему деньги зарабатывать надо. Меньше людей — больше денег...

— А *технология*? Подумай за него.

— А что тут думать? — подал плечами Мазур без малейшей рисовки. — Я так полагаю: пойдут две группы. Одна врывается в казармы, нейтрализует дежурную смену, захватывает оружейную и гараж с броневиками. Вторая берет на рывок дворец, после чего, надо думать, Аристид или скоропостижно помрет от апоплексического удара, или, как миленький, смотается в эмиграцию.

— Скорее уж первое. Аристид — дядька упрямый и самолюбивый. Эмиграция — не по нему. Наверняка возглавит оборону со ржавым кольтом наперевес...

— Представляю, — ухмыльнулся Мазур. — Аристид со ржавым кольтом во главе полутора зажиревших констеблей против Бешеного Майка с десятком бармалеев... Ну вот, собственно, и все. Расклад незатейливый. Заранее можно сказать: в городе и сообразить еще ничего не успеют, а власть у них уже поменяется самым решительным образом. Значит, нам с тобой нужно будет устроить так, чтобы получилось как раз наоборот... Что у тебя есть по Майку?

— *Пока* — почти что и ничего. Вот разве что... Ну-ка, что у тебя видно из окна на противоположной стороне улицы?

— Детский вопрос, — сказал Мазур. — Убогий домишко с ангаром из жести. То ли автомастерская там была раньше, то ли какой-то склад. Кто-то там вроде бы живет, я видел во дворе белого субъекта...

— Там сейчас живут *два* белых субъекта, — поправил Лаврик. — Имена я знаю, но тебе они не интересны, потому что вымышленны. Это, друг мой, и есть *они*...

— Люди Майкла?

— Нет, кардиналы Папы Римского.

— Ах, вот оно что... — сказал Мазур. — То-то мне показалось, что этот тип, бродя по двору, по сторонам как-то очень уж профессионально *зыркает*... Но я это отнес на счет повышенной подозрительности. Вот почему ты мне именно там комнатку снял...

— Так оно проще, — кивнул Лаврик. — *Одну* их берлогу мы уже знаем. А что до остального — есть человечек. Классическая «измена в рядах». Хотя и старый Майклов сподвижничек, но, как уже говорилось, там, где речь идет не о государстве и не об идее, особой верности ждать не приходится. Болтаясь в наемниках, особых капиталов не сколотишь. Дяденька уже в годах, подступает необеспеченная старость, вот он и согласился за энное количество зеленых бумажек заложить любимого фельдмаршала.

— А вдруг — подстава? Как в Монагане?

— Все возможно, поэтому расслабляться не следует, — рассеянно сказал Лаврик. — Посмотрим... Он часиков через несколько даст о себе знать. Покалякаем о делах наших скорбных, если сладится, сразу продвинемся вперед черт-те насколько. Как бы там ни было, у нас еще уйма времени. По некоторым данным, не менее недели.

— Рад слышать, — сказал Мазур. — За неделю мы тут три раза власть поменяем, туда и обратно...

Он оперся на пыльный бетон, уже как следует нагретый жарким солнышком, и уставился на россыпь красивых зданий и ленивое колыхание сверкающего мириадами искр синего флибустьерского моря. Подступили кое-какие личные воспоминания, не успевшие потускнеть за пару-тройку дней, связанные с таким же островком не так уж далеко отсюда, но Мазур привычным невеликим усилием вытолкнул их из памяти, потому что люди его профессии никогда не возвращались дважды в одно и то же место, а значит, никакого прошлого более не существовало вовсе, как бы оно ни звалось, какие бы у него ни были глаза и волосы...

Глава 2
Привидение в доме

— **Б**рось, — сказал вдруг Лаврик.

— Кого? Куда? — грубовато спросил Мазур, очнувшись.

— Романтические воспоминания. Я тебя сто лет знаю. Когда у тебя физиономия становится глуповатой, это означает, что нахлынула лирическая ностальгия...

— Иди ты...

— Да ладно, ладно, — сказал Лаврик примирительно. — У нас пока что период безделья, ностальгируй, ради бога, только ведь это дело безнадежное, сам знаешь... — Он отступил от серого бетонного парапета и потянулся с мечтательным огоньком в глазах. — Я ж не зверь, я сам, можно сказать, склонен предаваться романтике секунд сорок в год... Я даже стихи когда-то писал.

— Ты? — спросил с искренним изумлением Мазур, отроду не подозревавший за собеседником, несмотря на все годы тесного общения, подобных талантов.

— Ага, — безмятежно сказал Лаврик. — Один раз. Даже сочинил самую настоящую первую строчку: «Я не стрелял ни в воздух, ни в своих...»

Помолчав и подумав, Мазур искренне сказал:

— А ты знаешь, если подумать, это где-то даже гениально.

— Иногда самому кажется, — скромно сказал Лаврик. — Вот только второй строчки не придумал, как ни бился. Такая ерунда в голову лезла, что на бумагу ее никак нельзя было переносить по причине крайней убогости. На этой строчке мои поэтические опыты и кончились напрочь.

— Неплохо, — сказал Мазур. — На фоне того, что я и одной строчки в жизни не сочинил...

— Пошли?

— Подожди, — сказал Мазур. — Это еще не все... Самое время именно здесь обсудить другую проблемку. У меня в комнате завелся призрак.

Лаврик мгновенно, знакомо *подобрался*. Ничего вроде бы не изменилось ни в осанке, ни в лице, но Мазур-то его давно и прекрасно знал: великолепный охотничий пес захватил чуткими ноздрями свежий аромат следа...

— Конкретнее, — сказал Лаврик уже совершенно бесстрастно.

— Я сразу, как только заселился, наставил в комнате «секреток», — сказал Мазур. — Как учили. Два кольца обороны. Вчера, когда вернулся, оказалось, что нарушено *внешнее*. Кто-то старательно обыскал комнату. Все без исключения секретки «первого кольца» нарушены. Классический поверхностный осмотр — постель ворошили, в шкаф, в ящики стола заглядывали, ничего не пропустили. А вот «внутреннее» кольцо совершенно не тронуто. Кто бы это ни был, он не искал у меня *серьезных* тайников. Замок в двери, конечно — одно название. Раритет начала века. Его даже любитель гвоздем распечатает в секунду.

— Интересно... — прищурился Лаврик. — У меня, между прочим, ничего похожего, никто не совал носа... Ты уверен насчет обоих «колец»?

— Стопроцентно, — сказал Мазур. — По части тайной войны у нас, само собой, ты профессионал, но в «секретках»-то я все же разбираюсь. Именно что поверхностный осмотр, без малейшей попытки поискать, где я устроил серьезные тайники...

— Ага. Потому ты в машине и молчал, как истукан с острова Пасхи?

— Вот именно, — сказал Мазур. — Мало ли что тебе могли туда всадить, если уж начали *рыскать*...

— Ерунда, — сказал Лаврик. — Машина у меня остается в таком месте, что ни «жучок», ни «маячок» туда не всадишь, точно тебе говорю. И потом, у меня-то комнату не обыскивали тайком — а ведь мы с тобой тут три дня вместе шляемся, полгорода знает, что эти два парня — кореша... Итак, подозреваемые... Их у нас моментально нарисовывается ровным счетом двое. Твой хозяин и обитательница соседнего апартамента. А? Что насчет них думаешь, навскидку?

— Я, конечно, не спец... Но все равно, у меня такое впечатление, что хозяин как раз тот, за кого себя выдает. Видишь ли... Прикинуться можно кем угодно: плавали — знаем, насмотрелись разнообразнейших личин... Но, по моему глубокому убеждению, нельзя *притвориться* законченным алкоголиком. Уж нам-то, русским людям, это явление знакомо, как никому. Есть масса деталей, которые невероятно трудно, почти невозможно *изобразить*... Натуральнейший законченный алкаш.

— Не гони лошадей...

— Ну, скажем, на девяносто девять процентов — законченный алкаш. Один процент оставляем на версию о суперагенте, какие не только в кино существуют... — Мазур с сомнением покачал головой. — И все же... На кой хрен приставлять суперагента к парочке простых австралийских парней, искателей удачи, бросивших якорь на захолустном островке? Я бы еще понял, окажись мы в «полосе безопасности» какого-нибудь серьезнейшего и секретнейшего объекта, — но здесь ничего подобного нет... Логично?

— Логично, — кивнул Лаврик. — Уж в чем можно быть точно уверенным, так это в том, что никаких *объектов* тут нет. Если не считать казармы национальной гвардии и военно-морской базы республики, то бишь, причала площадью в два десятка квадратных метров, у которого швартуется один-единственный сторожевой кораблик... А девица?

— Вот тут — черт ее знает, — сказал Мазур. — Не берусь гадать, и версии выдвигать не берусь. Студентка на скромном отдыхе... Пока что, по ее поведению и виду, вроде бы так и обстоит. И выговор у нее точно уроженки Новой Англии.

— Ну, у тебя тоже — типично австралийский, да и у меня тоже.

— Я же говорю, черт ее ведает, — сказал Мазур. — Пока что она ни на миллиметр не высунулась за рамки *заявленного* образа. Студентка чего-то там гуманитарного в Нью-Джерси. Не такая уж молоденькая, ближе к тридцати, но это ни о чем не говорит, сам знаешь, у них в Штатах, если возникнет такая блажь, и в семьдесят лет можно в студентки записаться... Денег не особенно много, потому и поступила подобно нам — сняла комнатушку на окраине, а не в приличный отель ломанулась. Вечерами наводит красоту и идет развлекаться, возвращается поздненько, к себе пока что никого не приводила... Никакого компромата. Правда, она на сутки позже объявилась... позже меня, я имею в виду.

— Вот то-то... Что еще?

— Да ничего, — сказал Мазур. — Ко мне она уже клеилась, но без особенного запала, так, от скуки. Но ты же сам говорил, что следует подержать ее на дистанции...

— Ага, — сказал Лаврик. — Если у нее есть *побочный* интерес, это рано или поздно проявится... Ну, что? Конечно, шарить у тебя мог и кто-то со стороны. В домишко залезть постороннему нетрудно — учитывая, что хозяин постоянно в нирване, а очаровательная Гвен вовсе не обязана присматривать за всем домом...

— Тоже логично, — кивнул Мазур. — Но почему он — или они — все же устроил только поверхностный осмотр?

— А потому, что вариантов масса, — сказал Лаврик. — В том числе и гораздо более вульгарных, нежели благородный шпионаж. Твоя Гвен, к примеру, очень даже свободно может оказаться залетной домушницей. Мало их, что ли, гастролирует по таким вот райским уголкам, где полиция на пару порядков послабее лондонской или чикагской, а денежки тем не менее обретаются приличные. На любом курорте полно щипачей-ширмачей...

— Но я-то не набитый кредитками нувориш?

— А кто их знает, таких вот парней, искателей удачи, — пожал плечами Лаврик. — У них ведь в багаже порой захована что-нибудь весьма ценное — и сплошь и рядом в полицию не побегут, потом что сами свое добро не вполне честным образом приобрели... Ладно. Что-нибудь придумаем. В рамках скудных возможностей... Поехали?

Давешней парочки там уже не было. На обратном пути они все так же молчали. Оказавшись в городской черте, Лаврик свернул не направо, как следовало бы, а налево — и вскоре медленно проехал мимо центральной площади, где красовался президентский дворец — довольно безвкусное, не особенно большое здание, бывшая резиденция английского губернатора, этакая коробка из-под обуви с парой башенок по углам и часами на фронтоне.

По площади болтались туристы в невероятном количестве, старательно целя фотоаппаратами в двух национальных гвардейцев, картинно застывших по обе стороны широкой, невысокой каменной лестницы. Один был белокожий, второй — шоколадный мулат. Красные мундиры восемнадцатого столетия, новодельные кремневые мушкеты, высоченные, под подбородок, сабли на боку. Часовые прилежно застыли, вылупив глаза, изо всех сил стараясь не дышать. Пост этот в здешних вооруженных силах считался престижнейшим, из-за него интриговали и ссорились — ребятам из захолустья приятно было знать, что их цветные фотографии разлетаются по всему свету...

Глядя на них, Лаврик покривил губы и печально улыбнулся. Мазур понятливо вздохнул. На его взгляд, для штурма резиденции даже десяток головорезов — многовато. Трех-четырех будет достаточно. В этой стране отроду не случалось ни мятежей, ни переворотов, а потому у власти нет и соответствующего опыта. Вообще, Аристид частенько шляется по столице пешком, без всякой охраны, а порой, сплетничают злые языки, надвинув шляпу на глаза, прокрадывается переулочками к любовнице, обитающей кварталах в пяти от дворца, на кривой тихой улочке. Даже не нужно штурмовать дворец — подгадай к такому визиту, перехвати у крылечка, дай по голове кирпичом и засунь в мешок, общественность и не заметит. Положительно, на сей раз Бешеному Майку работенка досталась непыльная...

Начинаешь тихо ненавидеть прекраснодушных оптимистов, — подумал Мазур с легким раздражением. Коли уж взялся отобрать в казну чье-то имущество немалой стоимости, приносящее жирный доход, то следовало бы окружить себя полудюжиной крепких парней, увешанных маузерами и гранатами по самые уши, да и другие меры предосторожности принять. Кошке ясно, что подвергшиеся раскулачиванию обидятся и начнут плести козни. Чтобы это предвидеть, даже не нужно читать Маркса, достаточно обладать простой житейской сметкой. Но откуда она у магистра и почетного доктора парочки английских университетов, всю свою сознательную жизнь изучавшего жучков и бабочек, а в президенты выдвинутого согражданами как раз за вопиющее бессребренничество и незапятнанную репутацию далекого от житейской грязи ученого мужа? Сидеть бы ему спокойно, карнавалы открывать и за уличным освещением следить, так нет, подался в реформаторы...

Лаврик свернул вправо, прибавил скорость, время от времени пугая клаксоном аборигенов, с патриархальной простотой прущихся прямо по проезжей части. Автомобилей становилось все меньше, дома стали гораздо ниже, обшарпаннее. Они приближались к месту обитания.

Район был не то чтобы трущобный или криминальный — ничего подобного, в общем. Он просто-напросто был скучной окраиной, совершенно бесперспективной. Обширного строительства там не предвиделось, ничего привлекающего туристов не имелось, люди с маломальским достатком давно переселились поближе к центру. Остались неудачники и лентяи — первые не могли приподняться, как ни бились, а вторые к этому и не стремились вовсе, им и так было хорошо... Несомненным достоинством этой слободки, помнившей еще войну американцев за независимость, было малолюдство, покой, тишина и низкие цены на все, потребное для скромной жизни, от обедов в убогих ресторанчиках до гулящих девиц. Словом, именно то, что потребно двум скромным австралийским парням с тощими кошельками...

Лаврик остановил машину возле старинного двухэтажного домика. Мазур вылез, стараясь не смотреть в сторону здания на противоположной стороне, о котором только что узнал немало интересного.

Весь первый этаж его очередного пристанища занимал магазинчик с высокими окнами и стеклянной дверью. Сохранилась даже облупившаяся вывеска с пафосным названием «Ниагара».

Правда, вывеска уже походила на археологическую редкость, пролежавшую под открытым небом лет с тысячу, а стеклянные окна и стеклянная дверь были покрыты слоем пыли толщиной чуть ли не в палец. Магазинчик с пышным названием, как Мазур уже знал, держался на плаву исключительно благодаря покойной миссис Джейкобс, а когда она отправилась в мир иной, безутешный вдовец его быстренько ликвидировал, чтобы без помех предаваться единственной страсти. Проценты с небольшого капитальца и доходы от квартирантов этому прекрасно способствовали.

Обойдя домишко, Мазур вошел с черного хода, оказавшись в широком коридоре, отмеченном той же печатью запустения. Поразмыслив пару секунд, свернул направо, в кухню, откуда доносилось шкворчанье и попахивало яичницей.

Само собой разумеется, эти звуки и запахи никак не могли оказаться плодом усилий мистера Джейкобса, это Гвен возилась у плиты, довольно сноровисто орудуя вилкой. Обернулась на звук шагов, улыбнулась Мазуру по-соседски и вновь занялась сковородой. Мазур постоял, задумчиво созерцая ее спину. Ничего подозрительного, в общем. Белобрысая американская девочка в шортах и белой маечке, достаточно симпатичная, чтобы питать извечные мысли. Студентка на дешевом отдыхе. Но кто-то же лазил в комнате?

Мистер Джейкобс восседал в углу, как обычно, как большую часть суток, — пузатый и седой, в защитных армейских шортах и черной майке (есть сильные подозрения, цвет этот выбран в силу чисто утилитарных соображений, черная одежда смотрится не такой замызганной). Меж колен у него был зажат высокий стакан. Совершенно пустой, отметил Мазур и приготовился увидеть очередное представление.

Ну, не представление, собственно, однако залюбуешься. Сколько раз видел, и все не надоедает.

Мистер Джейкобс развел руки в стороны: правой подхватил с низкого столика бутылку рома, левой — бутылку кока-колы со столика-близнеца. Отточенными движениями наклонил оба сосуда над стаканом, наполнив, как всегда, так, что до краев осталось полсантиметра, отставил бутылки, взял стакан, по идеальной дуге поднес ко рту и отхлебнул ровно треть убойной смеси. Его одутловатая физиономия вмиг исполнилась блаженства.

Эта манипуляция напоминала действия невероятно точного станка с электронным управлением, — и Мазур в который раз ощутил нешуточное уважение, как всякий русский человек, способный в должной степени оценить подобное мастерство. Сколько бы старый пень ни высосал, его конечности ни на миллиметр не отклонялись от обычной траектории, меж жидкостью и краем стакана всегда оставалось именно столько, и никак иначе, а зажатый коленями стакан ни разу не дрогнул. Русский человек такую виртуозность ценит. Мазур вновь подумал, что уж кого-кого, а мастера Джейкобса подозревать — бесполезный расход времени и нервных клеток. Оставался при прежнем убеждении: невозможно *так* имитировать набрякшую от многолетнего пьянства рожу, состояние кожи, щетину, сиплое дыхание, загоревшиеся неземным счастьем после очередной дозы глаза. Ну нельзя, и все тут! Будь ты хоть гением...

— Это не алкогольная галлюцинация, — дружелюбно сказал Мазур, когда на нем остановились блаженно-мутные глаза хозяина. — Это я, Дик Дикинсон, ваш постоялец. Между прочим, исправно внесший плату за неделю и намеренный поступать так же впредь...

— Я знаю, что ты Дик, — сказал мистер Джейкобс совершенно отрешенно, не шевелясь. — Галлюцинации бывают только у алкоголиков. А я не алкоголик. Алкоголики, старина Дик, — это те, кто пьет безалаберно. Я же пью размеренно. Между прочим, я высоко ценю твою обязательность в денежных делах.

Мазур светски раскланялся.

— Нашел место, Дик? — осведомился мистер Джейкобс, вторым глотком покончив еще с третью жуткого коктейля.

— Нет пока, — сказал Мазур чуточку беззаботно. — Кровь из носу хотим подобрать хороший корабль, а не бросаться на первую попавшуюся посудину. Слава богу, мы с Сидом ребята приличные, с хорошими документами, да и денег пока хватает, можно не торопиться...

— И это называется приличный моряк... — с откровенной грустью сказал мистер Джейкобс.

— Боже мой, — сказал Мазур. — Неужели у вас есть на меня нечто компрометирующее?

— Я имею в виду, приличный моряк не отказался бы посидеть со старым затворником как следует за ромом...

— Что поделать, — пожал Мазур плечами. — Я ведь тоже пью размеренно — раз в три недели. Еще полторы недели до урочного часа. Согласитесь, ведь это ваша теория — о том, что пить нужно размеренно?

— Раз в три недели — это не размеренность. Это, по сути, абстиненция... — с глубочайшей убежденностью объявил мистер Джейкобс и в два счета разделался с последней третью. — Мельчает молодежь, мельчает... Вот кстати, о презренном металле. Если у тебя есть деньги, старина, мог бы сводить куда-нибудь девушку вечерком. Право слово, я своим постояльцам никаких ограничений не ставлю, я человек широких взглядов... — и он медленно собрал толстую физиономию в гримасу, должно быть, казавшуюся ему плутовской. — Будьте, как дома, милые молодые люди...

— А в самом деле, Дик, — обернулась Гвен, снимая с плиты черную сковородку с аппетитно скворчавшим содержимым. — Не самая глупая идея...

И выжидательно улыбнулась, с подначкой глядя из-под рассыпавшейся челки не самыми невинными на свете серо-зелеными глазищами. Приятная была девочка, и с Мазуром откровенно заигрывала — что за курорт без легкого романа? — но он предпочитал не форсировать события в связи с непроясненной пока общей ситуацией. Плавали — знаем. Случалось, такие вот улыбчивые девочки и в спаленку увлекали, и платьице с себя начинали сбрасывать, а потом поднимали истошный визг, будто их насилуют, словно из-под земли, выныривали хмурые верзилы, стремясь отяготить компроматом... Что там далеко ходить, во время недавней командировки именно так и стряслось на не столь уж далеком отсюда острове...

— В самом деле, своди меня куда-нибудь, — сказала она, все так же беззаботно щурясь. — Одной неудобно как-то, еще примут не за ту...

В английском, как известно людям посвященным, нет ни «ты» ни «вы». «You» означает и то, и другое, вся хитрость в интонации и тому подобных тонкостях. Но в данном случае это было именно «ты».

— Мы, австралийцы, парни неторопливые, — сказал Мазур. — Я все это время набираюсь смелости. Как только решусь, непременно скажу...

Он улыбнулся — широко, открыто, честно, как и полагалось бесхитростному морячку — кивнул и направился в коридор. Успел еще услышать, как добросердечная Гвен пытается уговорить мистера Джейкобса отведать хотя бы кусочек яичницы, а тот, как обычно, невозмутимо отвечает, что и еду нужно принимать размеренно, то есть раз в сутки, и урочный час еще далеко.

Идиллия, подумал Мазур. Милые, незатейливые люди, теплые, домашние отношения... кто ж секретки ворошил-то? Предположим, при некоторой ловкости не так уж трудно кому-то постороннему проскользнуть бесплотной тенью на второй этаж мимо впавшего в нирвану мистера Джейкобса — но вот Гвен почти все время дома, спиртного не трескает, валяется и читает что-то, и уж она-то непременно заметила бы постороннего злоумышленника...

Он поднялся по скрипучей лесенке, повернул в замке большой старомодный ключ с двумя бородками, вошел, закрыл за собой высоченную тяжелую дверь. Посмотрел вправо и печально покривил губы: это уже хамство, знаете ли... По отношению к жильцу, аккуратно вносящему оговоренную плату — это неприкрытое хамство с любой точки зрения...

Входная секретка была снова нарушена. Кто-то в его отсутствие вновь заходил в комнату. Неймется кому-то...

Настроение вмиг испортилось — не особенно, но все-таки. Мазур, сердито пофыркивая, подошел к окну — распахнутому настежь, прикрытому легкими бамбуковыми жалюзи — посмотрел сквозь щелочки на другую сторону улицы, где, как выяснилось, располагалось *логово*. Гнездо путчистов, мать их.

Монументальными заборами здесь окружать жилые дома было совершенно не принято — и поскольку вокруг зловещего гнезда возвышался чуть ли не двухметровый забор из рифленой жести, раньше здесь и точно была какая-то мастерская или склад. Ну, вполне разумная предосторожность: и в этих райских местах немало охотников до чужого добра...

Небольшой одноэтажный домик, столь же старинный, как и очередное пристанище Мазура — и довольно большой ангар из той же жести, с двустворчатой дверью, куда запросто может въехать даже нормальный грузовик, благо и высота двери позволяет. Полдюжины пальм в качестве озеленения. Сонное, ничем не примечательное местечко. Раньше Мазур особенно не приглядывался, конечно, к соседям, но все же по въевшейся привычке краем глаза фиксировал все, что происходит вокруг, —

и не помнил ни многолюдства, ни шума. Кто-то однажды выходил на улицу, кто-то ходил по двору — вот и все признаки жизни.

Вообще-то в таком бараке можно спрятать даже не грузовик, а приличный броневик вроде «Саладина»... стоп, стоп, это уже дурное кино! Броневик сюда контрабандой не протащишь, да и Бешеный Майк обычно прекрасно управлялся раньше без всякой брони. А вот *стволов* сюда можно натащить незаметно, в потребном количестве...

Внизу послышалось тарахтение маломощного мотора. Мазур, отошедший было от окна, вновь приник к щелочке. У калитки остановилось здешнее грузовое такси — трехколесный грузовичок, скорее уж мотороллер с кузовочком, к которому присобачили кабину. Двое — белые, высокие, крепкие парни — проворно спрыгнув из кузова, вытащили оттуда какой-то прямоугольный щит, прислонили его к рифленой стенке. Один из них сунул водителю местную кредитку — большую, разноцветную — тот что-то сказал благодарственное и проворно укатил. Парни этот щит — шириной в полметра примерно, длиной метра в два — перевернули другой стороной, отступив на пару шагов, критически оглядели и переглянулись с видом совершеннейшего удовлетворения.

Это была вывеска. Броская, как спецназовец в полной амуниции посреди детского утренника. На желтом поле с веселенькими синими завитушками по углам черные буквы с зеленой каймой:

АВТОРЕМОНТНАЯ МАСТЕРСКАЯ ПАРСЕЛЛА

Оба принялись неторопливо расхаживать вдоль забора и ворот, негромко переговариваясь, обмениваясь выразительными жестами. Любому было бы ясно: прикидывают, куда присобачить вывеску.

Ах вы, стервецы, ухмыльнулся Мазур с профессиональным уважением. Неплохо придумано. Сам бы примерно так же и поступил бы в схожей ситуации...

Новые люди то ли сняли, то ли купили пустующее здание и собираются в самом скором времени устроить там автосервис. А это означает, что вся округа теперь и ухом не поведет, глядя как заезжают во двор машины, как выгружают с них что-то громоздкое, как мелькают, сменяя друг друга, незнакомцы. Дело ясное и чистое: ребятки завозят оборудование, инструмент, дело насквозь житейское. Кому придет в голову, что инструмент, голову прозакладывать можно, довольно специфический? Очередями стреляет, гранатами плюется...

Глава 3
Узун-кулак

Мазур довольно долго наблюдал за трудягами — без всякой профессиональной надобности, откровенно говоря, просто от нечего делать. Дом и подходы к нему он и так давно изучил, а эта парочка особого интереса не представляла: сразу видно, ребятки крепкие и битые, но он насмотрелся подобных орлов под всеми географическими широтами. Гораздо интереснее было бы посмотреть на самого Бешеного Майка, как-никак широко известная в узких кругах легенда, но он-то как раз и не показывался.

Два мордоворота возились со своей яркой вывеской, как дурень с писаной торбой — примерялись, прикидывали, советовались. Их суета казалась бездарным фарсом, а может, так обстояло оттого, что Мазур уже знал, кто они такие...

Потом ему пришло в голову, что он рано расслабился. Следовало сразу же, едва обнаружив следы очередного незваного визитера, пройти по *всем* секреткам. Мало ли что. В шкафу под бельем вполне может покоиться мешочек с полуфунтом гашиша, а в столе — пистолет с одним израсходованным патроном, из которого пару часов назад пришили какого-нибудь добропорядочного обывателя. Коли уж кто-то неизвестный повадился шастать в комнату, следует заранее настраиваться на самые пессимистичные прогнозы...

Примерно через четверть часа он убедился, что сегодня, по крайней мере, никто ему вроде бы не собирался подбрасывать поганые сюрпризы. Не считая секретки у двери, все остальные пребывали в неприкосновенности. Кто-то зашел в комнату, потом вышел — и этим ограничился. В прошлый раз поверхностно обыскав жилище, не озабочиваясь поиском искусно устроенных тайников, а сейчас всего лишь зашел-вышел. Нескладушки какие-то, точно. Не имеет потаенного смысла. О каких там еще вариантах старательно и многословно предупреждал Лаврик? Могут подбросить компромат, а могут и...

Охотничий азарт моментально усилился, нарисовалось четкое направление поиска — и Мазур приступил к делу уже с учетом *новых* вариантов.

Под кроватью — ничего такого. Под столешницей — аналогично. За жалюзи на подоконнике — ни следа. Что у нас осталось? А остался у нас старомодный платяной шкаф, огромный и тяжелый, как БТР, не сдвигавшийся с этого места добрых полсотни лет, с тех самых пор, как его сюда приперли. Подобную громадину двигают лишь при самой крайней необходимости.

В конце концов, недолго думая, Мазур принес от окна тяжелую табуретку, бесшумно поставил ее на пол, бесшумно на нее взобрался. Теперь только смог заглянуть наверх.

По периметру верхнюю кромку шкафа окружало нечто вроде массивной балюстрадки, вырезанной из неведомого дерева. И слева у стены, тщательно прикрепленный прозрачной липкой лентой, красовался предмет, в первый миг показавшийся гранатой, так что Мазур инстинктивно отпрянул.

Но тут же подумал, что с профессиональной точки зрения место для закладки чего-то взрывчатого выбрано крайне неудачно. Последнее место, где следует прятать гранату или бомбу, если собираешься обитателя комнаты подорвать. Вся энергия взрывной волны уйдет на то, чтобы разворотить шкаф. Совершенно безграмотно было бы... Ага!

Он уже сообразил, что видит не гранату, а микрофон. Черный дырчато-сеточный шарик размером с теннисный мячик, насаженный на трубку длиной и диаметром с палец. Мазур присмотрелся получше. Так и есть: в промежуток меж задней стенкой шкафа и стеной свешивался блестящий жгутик. Сходив за зажигалкой, вновь взобравшись на табурет и высекши пламя, Мазур окончательно удостоверился, что жгутик длиной сантиметров в десять. Микрофон, никаких сомнений. Вот только великоватый какой-то, чересчур громоздкий...

Унеся табуретку на прежнее место, он продолжил поиски, но никаких посторонних предметов более не обнаружил. Сел и закурил после трудов праведных. Вот *теперь* загадка второго визита в его комнату разрешилась полностью, если не считать того, что виновник все еще таился в роковой пропащности...

— Эгей! — жизнерадостно рявкнули в коридоре практически одновременно с громким стуком в дверь.

Мазур быстренько открыл. Лаврик энергично вошел, плюхнулся в старомодное кресло с выцветшей обивкой и громко сказал, ухмыляясь:

— Дела закручиваются, старина Дикки. Второй механик нас ждет через полчасика. Вроде бы заинтересовался двумя такими способными и неприхотливыми ребятами, как мы, так что...

Сделав страшную рожу, Мазур прижал палец к губам, потом принялся отчаянно жестикулировать, показывая на шкаф, на уши. Лаврик моментально замолчал, не проявив особенного удивления — собственно, просто-напросто закончил фразу, а больше ничего не сказал, так что неизвестный слухач не смог бы заподозрить ничего. Пробежав на цыпочках к окну, Мазур принес табуретку, утвердил на том же месте у шкафа и многозначительно показал пальцем.

Напарник живенько, не производя ни малейшего шума, взмыл на табурет, вытянув шею, как Мазур давеча, посветил себе зажигалкой. Слез. К некоторому разочарованию Мазура, лицо Лаврика не стало ни азартным, ни озабоченным, скорее уж он выглядел скучающим.

Отнеся табуретку назад, Лаврик вновь уселся в кресло, вытянул ноги, пустил к потолку идеальное кольцо дыма и сказал с самым беззаботным видом:

— Мне тут на лестнице попалась эта американская кукла. Все же приятное создание. Дикки, признавайся, шельмец — успел ей ножки раздвинуть? Я тебя, ходока этакого, сто лет знаю, ты б за три дня успел десяток таких приложить на простынку. Ну, не скромничай. Что-то рожа у тебя больно ханжеская... Угадал?

Он яростно жестикулировал, делал гримасы. Довольно быстро подумав, что угадал смысл этой отчаянной мимики, Мазур сказал осторожно:

— Ну, если по совести...

Лаврик, оскалясь, одобрительно закивал, делая поощрительные жесты. Мазур, приободрившись оттого, что понял его совершенно правильно, уверенно продолжал:

— Ну, между нами говоря, Сид, я ее в первый же вечер разложил. Благо не сопротивлялась ни черта. Эта паршивка, дураку ясно, сюда приехала как следует потрахаться посреди экзотики.

— Я ж вижу по твоей физиономии... — сказал Лаврик, скалясь и делая те же поощряющие жесты. — Расскажи-ка старому приятелю...

Ухмыляясь, Мазур начал повествование. Понемногу увлекся — к тому же Лаврик, как дирижер, требовательно помахивал указательными пальцами, требуя нагнетать и усугублять. Вот Мазур и старался. Он терпеть не мог в обычной жизни детально повествовать о победах над женским полом и уж тем более лихо врать подобным образом, но тут случай был особый, и он старался, ориентируясь главным образом на виденные во время пребывания на растленном Западе порнофильмы.

Неплохо получалось, судя по блаженной физиономии Лаврика. В смачном рассказе Мазура очаровательная Гвен предстала укрывшейся за ангельской внешностью законченной шлюхой. Она чуть ли не изнасиловала согласно порочной натуре своей незатейливого австралийского морячка, она первая предлагала всевозможные извращения и экзотические позы, каковые пользовала с большим знанием дела.

— И денег не взяла? — поинтересовался Лаврик, когда Мазур устал и остановился передохнуть.

— Ни пенни.

— Везет тебе, как всегда, — сказал Лаврик. — И опытная шлюха попалась, и не потасканный вид, и совершенно бесплатно. Ты, Дикки, в своем репертуаре...

— Сам не знаю, отчего у меня с ними так лихо получается, — скромно сказал Мазур.

— А это все оттого...

Лаврик, прислушивавшийся к чему-то в коридоре, вдруг вскочил и прямо-таки вывалился из комнаты, увлекая за собой Мазура — аккурат так, что они нос к носу столкнулись с Гвен, направлявшейся к лестнице.

В первый миг она прямо-таки стегнула Мазура взглядом — злым, ненавидящим, накаленным. Не взгляд, а лазерный луч. Именно так и следовало смотреть невинной жертве похабной похвальбы, сроду не вытворявшей с соседом-хамом того, что он ей приписывал.

Но она тут же справилась с собой со свойственным женщинам мастерством. Улыбнулась как ни в чем не бывало:

— Привет, Сид. Уходите?

— Ага, — сказал Лаврик. — Замаячил тут на горизонте перспективный работодатель, вот и мчимся...

— Удачи, ребята! — совершенно спокойным голосом пожелала она им вслед.

Едва они втиснулись в машинешку Лаврика, тот спросил:

— Видел глазенки? Испепелить хотела...

— Не слепой, — сказал Мазур. — Значит, это она...

— Кто же еще? Тут и к гадалке не ходи... Узун-кулак, как выражаются в Средней Азии. А по-нашему — классическая подслушка.

— С-стерва, — сказал Мазур с чувством.

— Ну, зачем так уж сразу... — великодушно сказал Лаврик. — Просто работа у девочки такая, дело житейское... А как тебе насчет странностей?

— Это которых?

— Значит, ты их не просек?

— Не просек я никаких странностей, — сказал Мазур чистейшую правду. — Не учен, извини...

— Ну так учись, пока я жив, — сказал Лаврик серьезно. — Что до меня, то я тут усматриваю ровнехонько две странности. Первая — сам микрофон. Невероятная музейная рухлядь, оскорбляющая мои эстетические чувства. Даже если учесть, что не всем по карману всевозможный *супер*... Все равно, для мало-мальски серьезной конторы это не просто вчерашний день — архаика, невозможная древность...

— И для *здешней*?

— Пожалуй, и для здешней тоже, — уверенно сказал Лаврик. — Точно тебе говорю. Местных, как-никак, англичане натаскивали. Даже для них чересчур убого... Второе. Девочка наша — откровенная непрофессионалка. Услышанное ее привело в неподдельную и искреннюю ярость, сам видел. Очень непрофессионально. Полное впечатление, что нет у нее должного опыта.

— Ну, тогда... — сказал Мазур. — Что мы имеем? Музейная техника и непрофессиональный шпион. Как это прикажешь понимать?

Помолчав, Лаврик сказал решительно:

— Я тебе признаюсь по секрету, что и сам представления не имею, как все это следует понимать. Маловато информации к размышлению. А вариантов столько, что лучше пока что из них ничего не выбирать. Примем за аксиому, вот и все — что тебя подслушивают, что это весьма непрофессионально проделывает девочка из соседней комнаты. А там видно будет. Меня вот почему-то никто не подслушивает, обидно даже. Интересная головоломка. Да, а еще за нами следят, между прочим. Сиди, не верти башкой! Белый, под тридцать, шпарит на мотороллере на небольшом отдалении — и, что характерно, хвост у нас опять-таки не из профессионалов. Гадом буду, не привык он к такому занятию. Ну, пусть его, там посмотрим, как поступить...

— А куда мы, собственно?

— Работать, куда же еще, — сказал Лаврик. — Обозначился тут в рядах Бешеного Майка один беспринципный субъект. Который за определенную денежку готов нам кое-какую информашку слить...

— А это не подстава?

— А все может быть, — преспокойно сказал Лаврик. — Кто ж его ведает? Так что ты поглядывай. Вряд ли нас, если что, будут *валить* в центре города, Майку раньше срока такие эксцессы ни к чему, ну да осторожность не помешает...

Глава 4
Тонкости пенсионного возраста

Едва машина остановилась, Мазур проворно вылез, захлопнул дверцу и, не оглядываясь вокруг, вошел в небольшой магазинчик. Встал вполоборота к окну, лицом к стойке с консервированной провизией, разглядывая банки супа и пакеты с кукурузными хлопьями, а глазом кося на улицу. Очень быстро показался мотороллер, ехавший очень медленно, так что седок временами пошатывался и терял равновесие. Бросил взгляд на окно, и тут же, увидев Мазура в непосредственной близости, отвел глаза. Сразу видно было, что его прямо-таки напополам раздирает мучительный выбор: за Мазуром увязаться или отправляться следом за уехавшей машиной? Это настолько явственно читалось во всем его невыразительном облике, что Мазур злорадно усмехнулся про себя без малейшего сочувствия.

Сделав, очевидно, выбор, шпик поддал газку и умчался следом за Лавриком. Мазур не спешил, обстоятельно, так вдумчиво, словно не пустяки покупал, а крупные бриллианты, в чьей подлинности имелись сомнения, взял пару пакетов хлопьев, цилиндрическую упаковку печенья, леденцы в ярких пакетиках — все то, что, выпав из рук, не разбилось бы и не пришло в негодность. Прибавил еще пару банок с пепси и направился к скучавшей за старомодным кассовым аппаратом хозяйке.

Выйдя на улицу с покупками в цветном пластиковом пакете, побрел не спеша в том же направлении, куда укатил Лаврик. Он, по совету напарника, даже и не пытался определить, есть за ним слежка, или нет — лучше уж, как и подобает беззаботному австралийскому морячку, держаться совершенно спокойно. Если ты в каком-то ремесле не профессионал, нечего и пробовать, эту сторону событий лучше отдать на откуп Лаврику...

Вскоре он увидел на левой стороне улицы летнее кафе. Тут же стояла машина Лаврика, а сам он восседал под куполообразным зонтом в сине-желтую полоску, потягивал что-то из высокого стакана и безмятежно разглядывал девушек, одетых чрезвычайно легко.

В нескольких метрах от машины стоял тот самый желтенький мотороллер, а его хозяин, как и следовало ожидать, сидел через два столика от Лаврика, тоже тянул что-то через соломинку, тоже таращился на девушек — но Мазур даже издали, даже при всем своем непрофессионализме в таких вот делах, без труда просек, что преследователь скован и напряжен. Или притворяется недотепой?

Не доходя немного, Мазур переложил пакет в левую руку, а правой, не глядя, достал из заднего кармана швейцарский перочинный нож — отличная вещь, предоставляющая такие возможности, каких иные прекраснодушные штатские и представить себе не могут. Ногтем большого пальца выдвинул плоское шило — короткое, острое. Зажал нож в кулаке, так, чтобы шило торчало меж указательным и средним. Оказавшись рядом с мопедом, ловко уронил пакет, из-за содержимого не наделав никакого шума, опустился на корточки, быстренько собрал рассыпавшиеся упаковки — а когда выпрямился, все было в порядке, из проткнутой молниеносным ударом покрышки с едва слышным жалобным свистом вовсю выходил воздух, и никто ничего не заметил, в том числе и хозяин покалеченной техники.

Сел рядом с Лавриком и молча кивнул на его стакан, когда рядом точно из воздуха возник белозубый мулат-официант. Отхлебнул — оказалась не газировка, а пиво. Что для Лаврика было вполне простительно, учитывая малую дозу алкоголя и совершеннейшее отсутствие здесь чего-то напоминающего ГАИ.

Открыто, не скрываясь, огляделся, как и подобает беззаботному туристу. Мимоходом бросил внимательный взгляд на шпика. Полная посредственность, даже обидно чуточку: мозгляк лет тридцати, длинноволосый и щекастый, по первому впечатлению, типичнейшая штатская крыса, ни капельки не похожая на хваткого шпиона. А впрочем, настоящий шпион и не должен быть похож...

Он видел со своего места, что покрышка заднего колеса уже расплющилась блином. Кивнул Лаврику. Оба, не спеша, допили пиво, Лаврик расплатился, и оба без спешки прошли к машине.

Мазур смотрел в зеркальце заднего вида, заранее цинично усмехаясь. Машина тронулась. Преследователь вскочил из-за столика, мимоходом бросил на него местную радужную кредитку, кинулся к мотороллеру, сгоряча вскочил в седло, запустил мотор, успел проехать пару метров... Явственно послышался стук обода по мостовой. Мотороллер вильнул, остановился и умолк, незадачливый шпик стоял, таращась на пострадавшее колесо с самым что ни на есть идиотским видом — а дальнейшего Мазур уже не видел, потому что Лаврик притоптал педаль газа, и машина проворно свернула за угол.

— Стратег ты у нас, — с уважением сказал Мазур.

— Жизнь всему научит, — пожал плечами Лаврик. — В такой-то ситуации подвох ставить легко... Но ты все равно не расслабляйся. Иногда бывает, что такой вот раздолбай попросту служит ширмой для кого-то более хваткого. Ты-то думаешь, что все неприятности позади, а получается все совсем наоборот...

— А что, — сказал Мазур с напускной беззаботностью, — эти более хваткие тоже нарисовались?

— Я их пока что не засек, — ответил Лаврик. — Но мало ли...

У Мазура осталось впечатление, что напарник не движется к намеченной цели, а кружит по улицам проверки ради. Своими соображениями на сей счет он делиться не стал, чтобы не мешать работать понимающему человеку, сидел смирнехонько, все внимание сконцентрировав на особах женского пола, благо выбор на тротуарах был богатейший.

Лишь когда Лаврик остановил машину возле крохотного отельчика с вывеской «Мажестик», выключил мотор и облегченно вздохнул, Мазур понял, что их странствия окончены, причем, судя по всему, ожидаемый хваткий шпион на хвосте так и не объявился. Ну что же, мелочь, а приятно...

— Черт знает что, — негромко сказал Лаврик. — Не припомню, когда и сталкивался с такими хохмами. Насквозь непрофессиональная подслушка, еще более уродская слежка...

— Может, они кого-то прикрывают? — спросил Мазур с видом знатока.

— А хрен их знает, — сказал Лаврик чуть раздраженно. — Пока что маловато данных... Пошли?

Они распахнули стеклянную дверь, расписанную потускневшими экзотическими цветочками, вошли в вестибюльчик. Отель вряд ли был из тех, где номера сдаются на час, кое-какую бледную тень респектабельности сохранял, но именно что тень и именно что бледную. Пристанище для откровенно безденежного народа. За пыльной стойкой — никого. Ковер на полу помнил не то что американскую революцию, а как бы не более ранние времена.

Лаврик уверенно взбежал по лестнице на второй этаж, после короткого колебания, осмотревшись, свернул направо и остановился перед дверью, на которой красовалась потускневшая металлическая цифирка «12». Энергично постучал. Изнутри невнятно проворчали что-то, потом дверь приоткрылась на ладонь, показалась щека, лоб с залысинами, настороженный глаз.

Дверь приоткрылась пошире, и Лаврик ввалился внутрь без всяких церемоний. Мазур вошел следом, готовый качественно заехать по уязвимым точкам любой неприятной неожиданности.

Но таковых не оказалось в тесной комнатушке с опущенными шторами, где из меблировки имелись лишь кровать и хлипкий столик с початой бутылкой виски, а вот ни стула, ни табуретки не обнаружилось. Мазурово обиталище по сравнению с этой клетушкой смотрелось царскими хоромами.

Хозяин этого убогого помещения сел на кровать и настороженно уставился на них — крепкий, почти лысый мужик в надетой поверх синей футболки парусиновой куртке (несмотря на духоту). Причину Мазур понял моментально, усмотрев опытным глазом под курткой рукоятку заткнутого за ремень пистолета — незнакомец откровенно держал правую руку поближе к нему.

Лаврик с невозмутимым видом уселся на подоконник, кивнул Мазуру:

— Устраивайся.

Легче предложить, чем выполнить... Осмотревшись, Мазур решил не извращаться и попросту остался стоять у двери, привалившись к косяку. Устроиться более комфортно было невозможно.

Лаврик пожал плечами:

— Хайнц, чем мы заслужили такое обращение? Руку уберите с пушки, а то еще выпалит сдуру...

— Мало ли какие обороты в жизни случаются, — проворчал незнакомец, но руку все же убрал. — Деньги принесли?

Лаврик лихо похлопал себя по внутренним карманам легкой белой курточки, заметно оттопыренным:

— Ну, мы же цивилизованные люди, старина... Я от денег прямо-таки лопаюсь...

Незнакомец смотрел на него с выражением записного пессимиста, которого всю сознательную жизнь только и пытались обмануть, обсчитать, обмишулить. Мазур присмотрелся к нему без всякого стеснения. Сразу видно, мужик прошел огни и воды и был в достаточной степени опасен, но вот годочков ему никак не менее пятидесяти. Кажется, что-то начинает проясняться. Можно сделать предварительные выводы. Господа наемники, лихим налетом свергающие президентов в экзотических странах, быть может, и смотрятся романтично с точки зрения какого-нибудь заплесневевшего за канцелярским столом бухгалтера, но в отличие от этого самого бухгалтера пенсионным обеспечением в старости никак не охвачены. А особых капиталов этаким ремеслом не сколотишь.

— Покажите.

Лаврик, глядя на него с молчаливым укором, извлек пачку зеленых бумажек с портретом президента США, перехваченную зеленой резиночкой. Покачал ею в воздухе.

— Маловато что-то.

— Тут только десять, ничего удивительного.

— А остальные?

— Все при мне, — Лаврик вновь похлопал себя по карманам.

— Давайте все сюда, — незнакомец протянул руку.

С величайшим терпением Лаврик сказал:

— Простите на неприглядном слове, но вы все же тяжелый человек, Хайнц. Мы пока что от вас ни единого толкового словечка не услышали, а деньги уже требуете...

— Откуда я знаю, что они у вас есть?

Лаврик достал еще четыре пачки и, присовокупив к первой, так же неторопливо и плавно поводил ими в воздухе. Хайнц с тем же подозрительным видом вытянул руку.

— Ну ладно, — сказал Лаврик. — Вы, Хайнц, насколько я знаю, прожили жизнь, как серьезный человек, и к глупым поступкам не склонны. Но позвольте уж уточнить: нам, в принципе, ничто не мешает, если что-то пойдет не так, моментально восстановить прежнее положение дел...

Он открыто, широко, обаятельно улыбнулся и уронил все пять пачек в подставленные ладони Хайнца. Тот пробурчал:

— Если уж на то пошло, вам никто не мешает дать мне по башке, когда я все выложу, забрать хрусты и уйти...

— Хайнц... — с укоризной протянул Лаврик. — Да как вы могли такое подумать о двух джентльменах?

— Лирика...

— Ладно, лирика, — согласился Лаврик. — Но есть гораздо более веское объяснение, а? Если мы, выслушав вас, все же заберем деньги назад и уйдем, оставив тут вашу бренную оболочку уже в неживом виде, Майк может встревожиться и поменять все планы. *Это* вас убеждает?

— Убеждает, — проворчал Хайнц. — Помолчите, я посчитаю хрусты.

Он долго возился, мусоля каждую бумажку, старательно шевеля губами, аккуратно откладывая пересчитанные купюры на столик. В протяжение этой нехитрой процедуры его физиономия стала прямо-таки одухотворенной и чуточку отмякла. Мазур терпеливо ждал. Лаврик тоже. Стояла душная тишина, едва слышно шелестели зеленые бумажки с одной и той же физиономией.

Мазур был напряжен, как граната с выдернутой чекой — ни у него, ни у Лаврика не было при себе ничего огнестрельного, вообще ничего не было, кроме того самого швейцарского перочинника, а сюрпризов можно было ожидать любых. Начиная от того, что этот лысый мог оказаться подставой и кончая тем, что Бешеный

Майк вовремя изобличил измену в рядах и собирается покарать всех скопом, и торговца информацией, и покупателей. Как он это устроил, мы-то в курсе, три года назад в Зулео...

Но время шло, а состав действующих лиц не менялся, и ничего не произошло. Закончив наконец прилежно шуршать «президентами», лысый Хайнц аккуратно перетянул резиночками все пять пачек, сунул их под подушку и с некоторым облегчением промокнул пот со лба большим синим платком. Выпрямился, все так же сидя на узенькой сиротской койке, даже подбородок задрал:

— Я хочу, чтобы вы меня правильно поняли. В жизни никого не продавал. Я бы ни за что никому не стал бы сливать секреты, но к Майку у меня счет. Он мне однажды подложил изрядную свинью, и я не забыл...

— Рауль мне говорил, — терпеливо сказал Лаврик.

— Вот в Рауле-то все и дело. Какой бы зуб я на Майка ни держал, все равно не стал бы никого закладывать, если бы все должно было кончиться... хм, арестом или пальбой. Но Рауль четко заверил, что никто не пострадает...

— Ни одна живая душа, — сказал Лаврик. — Просто-напросто все тихонечко провалится, и никто не пострадает, никому даже палец на ноге не оттопчут...

— Но, с другой стороны, Рауль — тот еще прохвост...

Лаврик явственно вздохнул, но ничего не сказал. Мазур, кажется, понял уже, в чем тут загвоздка: этот лысый обормот, кроме денег, жаждал еще и галантного обращения. Очень уж ему хотелось предстать не вульгарным предателем, а высокой договаривающейся стороной в насквозь джентльменском соглашении. Ладно, потерпим...

— Человек должен думать о будущем, — продолжал лысый Хайнц таким тоном, словно собрался закатить часовую проповедь. — Когда тебе стукнет пятьдесят, начинаешь соображать, что до старости с базукой по пляжу не побегаешь. В особенности, если платят за эти забавы не особенно круто и некоторые львиную долю загребают себе... И вы не гримасничайте, молодой человек! Вас эти житейские истины тоже напрямую касаются. Доживете до моих лет, если только удастся... Сами начнете соображать, что об обеспеченной старости следует позаботиться заранее. Вы, главное, уясните...

— Что у меня чертовски мало времени, я уже уяснил, — сказал Лаврик с явственно прорезавшейся ноткой непреклонности. — Давайте уж перейдем к делу, хорошо? Вы уже богач, а мы пока что в неведении...

— Ну уж и богач...

Лаврик кротко сказал:

— По-моему, пятьдесят тысяч баков — вполне пристойная плата за четверть часа беседы...

— Особенно если учесть еще, что Майк мне уши отрежет, пронюхай он... И не только уши.

Лаврик пожал плечами:

— Ну, это называется — деловой риск... Ладно, старина, давайте уж о делах... Сколько будет задействовано народу?

— Двадцать пять. Со мной и с Майком. Набивался еще один, но Майк его не взял. Он суеверный, знаете ли. Двадцать шесть — это выйдет два раза по тринадцать. Вот и ограничились двадцатью пятью.

— А детали?

— Кроме меня, тут еще двое. Они сняли домишко. Кевендиш-стрит, девятнадцать. Уже купили автобусик и загнали его в гараж, там есть гараж... Мне нужно приобрести две моторки. Чтобы стояли у пирса в день «Д». Майк с остальными — на Сент-Каррадине. Объявиться должны послезавтра. Сами понимаете, для двадцати пяти человек понадобится нехилое снаряжение. Даже если брать по минимуму, получится добрая куча. Вот Майк и купил у кого-то шхуну — как в свое время Фидель «Гранму». Суденышко убогое, но на один рейс его хватит, а больше и не надо... В общем, он приплывет с ребятами и снаряжением. Десять человек пойдут на двух моторках в казармы. Они в двух шагах от берега, там есть причал... Десятка вполне хватит для тамошнего воинства. Остальные с Майком во главе садятся на автобус и дуют в президентский дворец, соблюдая правила уличного движения и не маяча стволами в окнах.

— А дальше?

— А что, собственно, «дальше»? — ухмыльнулся Хайнц. — Какое такое «дальше» у президента при таком-то раскладе? Пятнадцать наших — уже много...

— А если президента во дворце не будет?

— Будет, куда он денется, — сказал Хайнц уверенно. — Тут у Майка на связи есть какой-то местный хмырь, я имею в виду, от работодателей... Он клялся, что все устроит. Президент обязательно будет во дворце, когда туда подкатят наши. То ли заседание кабинета, то ли срочная депеша... Майк не рассказывал подробностей, а я и не интересовался — он не любит, когда суют нос в те детали, что Майк должен знать единолично...

— И все?

— А что еще-то нужно? — вылупил на него глаза Хайнц с искренним удивлением. — Это же не Форт-Нокс с его золотым запасом, чтобы разрабатывать изощренные планы... Простенько и изящно. Для здешних макак этого вполне достаточно.

Мазур должен был мысленно признать, что этот ловец удачи абсолютно прав. Чтобы устроить здесь качественный переворот, достаточно и такого воинства, и таких планов...

— Как называется шхуна?

— «Виктория». Стоит в столице Сент-Каррадина, на пятом пирсе.

До Сент-Каррадина, точно такого же острова-государства — сто двадцать миль морем, припомнил Мазур. Можно сказать, за углом.

— Значит, послезавтра... — сказал Лаврик. — Акция, таким образом, назначена на...

— Ни черта еще не назначено, — сказал Хайнц. — Мало ли что может случиться, верно? Скажем, шторм, тайфун, еще какая-нибудь неувязка... Как только «Виктория» придет сюда, на следующее утро и начнется карусель. Самый рациональный способ. Майк, конечно, сволочь и любит обделять соратников, но голова у него варит...

— Не сомневаюсь, — сказал Лаврик и спрыгнул с подоконника. — Ну что же, Хайнц, всего наилучшего. Наслаждайтесь новообретенным богатством, не будем мешать...

— Вы, главное, смотрите, чтоб все так и было, как вы мне тут... – настороженно сказал Хайнц.

— Уж в этом, дружище, не сомневайтесь, — усмехнулся Лаврик, не останавливаясь для прощального рукопожатия.

Мазур вышел в коридор первым. Там было грязновато и совершенно пусто, никто на них не бросился ни на лестнице, ни в вестибюле, где так и не объявился портье. Они вышли на улицу совершенно беспрепятственно, и японская коробушка стояла на том же месте, и никто у нее ни единой шины не спустил и даже дворники не спер.

Уже включая зажигание, Лаврик кратко, энергично выругался.

— Это к чему? — спросил Мазур.

— Поодаль стоит такси, — сказал Лаврик, выруливая на середину улицы. — А в такси сидит наш приятель, любитель мотоспорта... Ага! Следом поехал... Какой отсюда вывод, стажер?

— Он знает Хайнца, — сказал Мазур. — Знает, где обитает Хайнц.

— Растешь на глазах. Скоро можно будет в Белый Дом внедрять под видом горничной-негритянки... Все правильно. Иного объяснения не подберешь. Он знает, где сидит Хайнц... и ему совершенно не нужно с Хайнцем общаться, он почему-то к нам прилип. И понятно, что ничего пока не понятно... Проверим коекакие *цепочки*, конечно, теперь-то ясно, что где-то утечка произошла, на подходах к лысому... Но тебе это неинтересно, это исключительно моя головная боль... У меня для тебя задача полегче, попроще и, что греха таить, вовсе не тягостная...

Он откровенно ухмылялся, и Мазур осторожно спросил:

— Что еще на мои хлипкие плечи?

— Да пустяки, — сказал Лаврик. — Надоело мне что-то быть исключительно обороняющейся стороной. Пожалуй, самое время и мне, ответного хода ради, поинтересоваться, что твоя соседка держит под подушкой, а что — в шкафу. Нынче же ночью. Если не будет у нас с тобой других инструкций.

— Подожди, а как...

— Да проще некуда, — сказал Лаврик, ухмыляясь во весь рот. — Я у нее в комнате пошарю со всем усердием, ну а ты, соответственно, позаботишься, чтобы этой ночью она к себе ни за что не вернулась. Объяснять подробнее, или ты уже совершеннолетний у нас?

— Да чего там объяснять, — сказал Мазур.

— Чего насупился? Я ж тебя не в бар для гомосеков отправляю. — Он бросил взгляд в зеркальце: — А этот урод так по пятам и тащится, что характерно. Чтоб у него радиатор закипел...

Глава 5
Кто ходит в гости по ночам...

На месте луны, к счастью, висел лишь узенький золотой серпик, и, если провести по его острым концам воображаемую прямую, получилась бы буква «Р» — «растущий». Прием незамысловатый, но далеко не все знают, как отличить стареющий месяц от растущего...

В общем, тиха была карибская ночь и, что приятнее, темноватая, без ненавидимого определенной категорией людей лунного сияния. Звезд, правда, было не перечесть, так и кишели в безоблачных небесах, кое-где заслоняемые разлапистыми верхушками пальм.

— Опаздывают твои, что ли? — тихонько спросил Мазур, терпеливо подпиравший спиной пальму, по его убеждению, уже отполированную до блеска.

— Всему свое время... Ага!

Теперь и Мазур услышал, что неподалеку шествует по темной улочке развеселая компания, определенно поддавшая: доносились громкие обрывки непонятных разговоров, бессмысленный смех, громкое немелодичное пение. Внезапно настала тишина, потом раздались азартные вопли — судя по интонации, кого-то осенила прямо-таки гениальная идея, охотно поддержанная остальными.

— Внимание, — сказал Лаврик.

Мазур напрягся, вновь прикинул в который раз уже просчитанное расстояние, отделявшее их закуток от стены из рифленой жести. За углом, где остановились гуляки, внезапно оглушительно бабахнуло, и в звездные небеса с шипением и свистом взмыла карнавальная шутиха, оглушительно лопнула над самой крышей облюбованного ребятами Майка дома, разбрызгалась снопами разноцветных искр. Гуляки восторженно заорали, и в небо рванулась новая ракета, а за ней еще одна...

Под этот свист, вой и грохот Мазур в три прыжка одолел расстояние до стены, в долю секунды толкнул ее ладонью, проверяя на устойчивость, подпрыгнул, ухватился за тоненькую кромку и перебросил тело на ту сторону. Приземлился на согнутые в коленках ноги. Рядом столь же бесшумно десантировался Лаврик.

Они сидели на корточках под стеной, в углу, неподвижные, как пальмы, но гораздо более чуткие и опасные, нежели безмозглые деревья. Темнота их надежно укрывала — и забор, и ангар были выкрашены в темный цвет, иначе, оставаясь белыми, накалялись бы нестерпимо к вечеру.

Вскоре компания, исчерпав, должно быть, все запасы пиротехники, с гомоном и хохотом повалила дальше. Настала тишина. Но они еще долго торчали истуканами. Задняя дверь дома так и не открылась. Ну разумеется, не следовало опасаться ни электронной сторожевой системы, ни обученного волкодава — они, что приятно, на сей раз имели дело не с государством, а просто-напросто с долбаным наемником, стесненным в возможностях и полагавшимся в таких случаях исключительно на стволы в сочетании с везением...

Переглянувшись, они двинулись вперед, бесшумные, как тени, каждый следующий шаг делая с наработанной осторожностью. Иные субъекты того же пошиба, что и Бешеный Майк, в похожих случаях непременно набросали бы вдоль забора обрезки колючей проволоки или протянули меж пальм бечевку с пустыми консервными банками — примитивные, но эффективные приемчики. Однако *здешние*, судя по всему, чересчур уж уверовали, что явились незамеченными и притаились надежно...

Ворота ангара. Высокие темные створки плотно притворены, но длинный засов не то что не заперт на висячий замок, но даже и не задвинут. С равной вероятностью это может оказаться и беззаботностью, и ловушкой...

Они обменялись выразительными жестами, и Лаврик прижался к стене возле угла так, чтобы при необходимости *встретить* обитателей домика, а Мазур взялся за засов и осторожненько, по миллиметру, потянул створку на себя, готовый немедленно ее придержать, если раздастся хоть малейший скрип.

У него была с собой масленка, но она не понадобилась — створка отошла бесшумно, ее, должно быть, хорошо смазали. Мазур скользнул в образовавшуюся щель, присел и метнулся в сторону на случай, если внутри кто-то все же сидел в засаде, чтобы приложить незваному гостю как следует.

Никого. В зарешеченные окошечки все же проникало немного скудного ночного света, чтобы не чувствовать себя ныряльщиком, погрузившимся с головой в чернила. Прямо напротив входа расположился отливавший в полумраке молочно-призрачной белизной пассажирский автобус — овальная фордовская эмблема над радиатором, сдвижная боковая дверь, не новенький, но и не развалина. Даже номер имеется — значит, скорее всего, куплен здесь легально, а не угнан, с угнанного моментально свинтили бы номера...

Мазур обошел его вокруг, осторожно переступая через какие-то железки и круглые жестянки, валявшиеся там и сям. Ну что же, сюда и двадцать человек войдет, и еще останется место для стволов и прочих атрибутов приличного государственного переворота. Приходилось констатировать, что Хайнц пока что не вешал им лапши на уши — автобус в гараже, и точно, имелся по тому адресу, который он дал, не предполагая, что им эта берлога уже известна. Знать бы еще, что и с остальным не наколол.

Выскользнув наружу, Мазур аккуратно притворил за собой створку, возвращая ее в прежнее положение.

Лаврик обернулся к нему, сделал резкий жест — из разряда заранее оговоренных. И Мазур, не мешкая, кинулся за противоположный угол ангара. Он уже слышал, как захлопнулась дверь и явственно звучат шаги, направлявшиеся прямехонько в их сторону.

Оба притаились за углом, глядя в разные стороны — на случай атаки с любой стороны. Пока, правда, не походило, чтобы их заметили. Двое шагали лениво, шумно, вот разве что явственно послышался характерный звук, с каким затвор пистолета отходит назад и возвращается, загоняя патрон в ствол.

— Ерунда, — протянули за углом сквозь зевок. — Ничего такого.

— Все равно нужно было осмотреть. Эти макаки пуляли куда попало, еще пожара не хватало...

— А чему гореть-то? — фыркнул первый и вновь зевнул, с хрустом и подвыванием.

— Все равно. Порядка ради.

Они говорили по-английски, но английский, мгновенно отметил Мазур, не был родным языком ни для одного, ни для другого. Интернационал, ага. Всякой твари по паре. Можно бы даже, чуть поломав голову, определить, откуда они родом, но нет никакой необходимости...

— Ну? Ни пожара, ни наводнения, ни даже поганого черномазого воришки.

Они торчали у ангара и еще какое-то время лениво перелаивались, один нудил, что нельзя доводить бдительность до абсурда, второй, должно быть, крепкий любитель порядка, столь же вяло ответствовал, что бдительность равным образом нельзя и сводить к совершеннейшему нулю, иначе может боком выйти — вот взять хотя бы Жирного Билла в восемьдесят втором, Чокнутого в восемьдесят четвертом... Судя по общему настрою, им было чертовски скучно торчать тут в обществе друг друга, охраняя паршивый гараж и представления не имея, когда начнется работа. К тому же, зная Майка, нетрудно догадаться, что этим двум он запретил во время несения службы не то что глоток хлебнуть, но даже пробку понюхать — и бывали прецеденты, когда за нарушение приказа вгонял свинца в организм...

Наконец они, уныло переругиваясь, направились назад к дому. Заскрипели расшатанные ступеньки заднего крыльца, громко хлопнула дверь. Вновь воцарилась совершеннейшая безмятежность. В общем-то, основания для беспечности есть: в доме и в гараже пока что наверняка не отыщется не то что оружия, но и одного-единственного патрона, а фордовский автобус сам по себе уликой не является...

Они перемахнули на улицу в том же месте и двинулись к своему дому кружным путем, по закоулкам и задворкам.

— А дальше что? — спросил Мазур.

— Дальше, как договорились. Ты выманиваешь птичку из гнездышка, а я...

— Нет, я в стратегическом смысле.

— А... Дальше видно будет. Инструкций пока что нет, а значит, и гадать нечего. Хотя лично я поступил бы просто: полетел прямехонько на Сент-Каррадин и... Стоп!

Он быстро отступил назад в переулочек, осторожно выглянул из-за угла. Постоял словно бы в нерешительности.

— Что там?

— Посмотри.

Мазур осторожненько высунулся. Улочка была пуста, только на другой стороне, метрах в двадцати от «Ниагары», стоял темный автомобиль с выключенным мотором, и за лобовым стеклом алел огонек сигареты.

— Неправильно чуточку, — сказал Лаврик.

Мазур вынужден был с ним согласиться. Строго говоря, посторонним было тут совершенно нечего делать в такую пору. Дом, у которого машина стояла, давным-давно стоит пустой, как и три других. К мистеру Джейкобсу никто не заявляется посреди ночи (у него вообще никто не бывает, если не считать навещающей домовладение раз в неделю уборщицы и мальчишки-посыльного из магазинчика на углу, прилежно доставляющего ром и колу). Помянутый магазинчик давно закрыт. «Авторемонтная мастерская Парселла» тоже никак не может оказаться тем местом, куда владелец автомобиля собрался — будь это кто-то из ребят Майка, давно подъехал бы к воротам и вошел. Вот и выходит, что в этом квартальчике совершенно нечего делать посторонней машине с никуда не спешащим, смолящим сигаретку водителем... Такие вещи больше смахивают на слежку.

— Неправильно — кивнул Мазур. — Что делать будем?

— Как будто есть выбор... Ты, как благонамеренный житель, возвращаешься домой. А я посмотрю, что он будет делать. Если выманишь девочку в какой-нибудь ночной кабачок, свет у себя не гаси — сигнал, значитца...

Мазур кивнул, вышел из-за угла и с самым беззаботным видом направился к «Ниагаре». В машине все так же алел огонечек — водитель не шевельнулся при его появлении, не полез из машины (американской, не первой молодости), из окна так и не показалось никакого смертоубийственного оружия. И все равно, неприятно было шагать к черному ходу, повернувшись спиной к неведомой опасности. Разумеется, если это и в самом деле была опасность — мало ли какие бывают совпадения и случайности...

Он достал старомодный ключ, но дверь оказалась незапертой, а в кухне горел свет и на лестнице тоже. Мазур заглянул в кухню: мистер Джейкобс, привычно опершись затылком о стену, спокойно похрапывал. Обе бутылки были пусты. Очередной этап размеренного пития, до утра уже не проснется, хоть все из дома вынеси — правда, выносить практически и нечего...

По-хозяйски погасив в кухне свет, Мазур направился к лестнице.

Гвен возникла у верхней ступеньки, когда он был уже на полпути, подбоченилась и спросила требовательно-укоризненно:

— Где ты болтался? Половина двенадцатого ночи...

На ней был короткий махровый халатик, та самая неразрешимая загадка природы: никто так и не доискался, то ли полотенца шьют из халатов, то ли халаты из полотенец... А голосок звучал так естественно и озабоченно, что Мазур на секунду всерьез задумался, какое бы убедительное оправдание произнести, чтобы прокатило. И тут же опомнился. Фыркнул:

— Боже, как умилительно... Со всеми классическими интонациями законной жены... Чему обязан такой заботе?

— Мы как-никак соседи, — сказала она безмятежно. — Начинаешь беспокоиться, когда время к полуночи, а тебя нет...

Мазур, опустив глаза, окинул себя беглым взглядом. После визита в «авторемонтную мастерскую» они с Лавриком старательно друг друга отряхнули, так что темные брюки и черная майка не носили особенных следов недавней вылазки.

— Засиделись с работодателем, — пожал он плечами, обошел девушку и отпер дверь своей комнаты.

А вот закрыть ее за собой не успел — Гвен бесцеремонно вошла следом, оперлась на притолоку — в довольно изящной позе, надо сказать — и уставилась на него каким-то странным взглядом, вроде бы вовсе не означавшим, что она первая намерена завязать самую тесную дружбу.

Оглядев ее, Мазур покачал головой:

— Бог ты мой, какая ситуация: добропорядочная девушка в полночь в комнатушке странствующего матроса... Как прикажете понимать?

— Во что ты вляпался?

— Я? — поднял брови Мазур, машинально окинув взглядом свои ничем не запачканные спортивные туфли.

— Ну не я же! Четверти часа не прошло, как заходил твой дружок. Типчик...

— Ты о ком? — с искренним недоумением спросил Мазур. — Как он назвался?

— Никак. Но он тебя определенно знает. Он ведь так и сказал — что пришел навестить своего старого друга Дикки Дикинсона.

— А ты?

— А я сказала, что ты болтаешься где-то по делам, про которые я понятия не имею, потому что прихожусь тебе не более чем случайной соседкой. Он пялился так, словно я вру и ты спрятался в ванной, показалось даже, что примется по комнатам шарить. Но потом убрался.

— Странно, — сказал Мазур. — Никого я не жду, и никаких друзей у меня тут нет...

— Но он ведь знает твое имя?!

— А вот это еще страннее. Говорю тебе, нет у меня тут никаких друзей, кроме, понятно, Сида...

— Знаешь, на кого он чертовски похож? На гангстера из кино. Именно такие типы появляются, когда кто-то смоется с добычей после ограбления банка или чего-то вроде...

Мазур подошел к ней вплотную, уставясь в безмятежное личико, пожал плечами:

— Дорогая мисс Любопытство, на Библии могу поклясться, что никого я не грабил, ни с какой добычей не сматывался, вообще никому ничего не должен, так что некому меня искать... Как он выглядел?

— Вот так, — сказала Гвен, энергично выпятив челюсть. — Из породы дешевых суперменов, если ты понимаешь, о чем я. Как будто он самый крутой на свете, а все остальные — шушера дешевая... Знаешь такой тип людей?

— Пожалуй, — сказал Мазур. — Он тебя не пугал, не грозил?

— Да нет, ничего похожего. Уж я бы завизжала на всю улицу — в студенческом городке, знаешь ли, привыкаешь отшивать всяких нахалов... Он голоса не повышал, ни единого грубого словечка... Просто держался, как дешевый супермен. — Она пытливо присмотрелась. — Дик, такое впечатление, что ты и в самом деле ничуточки не встревожился...

— А зачем мне тревожиться? — убедительно сказал Мазур. — Говорю тебе, ни с какой добычей я не сбегал подальше от сообщников, никому ничего не должен... Может, какое-нибудь дурацкое совпадение? Мало ли на свете Диков Дикинсонов?

— Может, в полицию позвонить?

— Это на кой? — сказал Маур. — Ничего страшного не случилось.

— Он сказал, что еще зайдет завтра...

— Вот и отлично. Посмотрим, что за дела...

Спать собираешься? — перевел он разговор не особенно искусно.

— А что? — осведомилась она с интересом.

— Да я, понимаешь ли, как раз сегодня набрался смелости пригласить тебя куда-нибудь повеселиться в рамках приличий...

— Ну наконец-то, Дикки Дикинсон! Дождалась бедная девушка! Подожди пару минут...

— Только имей в виду: на что-нибудь роскошное вроде «Карибской жемчужины» или «Галдеона» меня не хватит...

— Ну и наплевать, — сказала Гвен с решительным видом. — Я же не профессионалка, задумавшая выставить богатея... Просто-напросто хочу сходить с нормальным парнем в какое-нибудь приличное местечко, не обязательно роскошное... Подожди, я моментально...

Она послала ему обаятельнейшую улыбку и упорхнула. Сбросив рабочую одежду, Мазур залез под душ в крохотной ванной, тяжко хмурясь — неприятные загадки проявляли тенденцию к бурному размножению. Неведомый дешевый супермен непонятно откуда. Как можно узнать, что здесь живет именно Дик Дикинсон, перекати-поле из Австралии?

Ну, в принципе, это не такая уж тайна. Он как-никак в бюро по найму жилья оставил все свои данные, договор подписывал по всем правилам, как положено в цивилизованной стране, входящей в британскую зону влияния... Какое-нибудь дурацкое совпадение? А микрофон на шкафу? А это липнущее к нему очаровательное создание? И ведь во что-то тебя, старина, затягивает, знать бы только, во что...

Гвен и точно появилась буквально через несколько минут, волшебным образом успевшая мастерски накраситься. Даже в простом светлом платьице она выглядела так, что возложенное на Мазура поручение вовсе не казалось тягостным.

Вид у нее был самый безмятежный — оживленная девочка, обрадованная перспективой приятно провести вечер. Мазур даже засомневался в глубине души — кто сказал, что это именно она всадила микрофон к нему в комнату? — но тут же вспомнил иных своих знакомых женского пола, за ангельской внешностью таивших такое, что едва удавалось ноги живым унести. И постарался не расслабляться особенно.

— Ты свет не выключил.

— Пусть горит, — сказал Мазур. — Пусть думают, что кто-то не спит. А то шляются разные... дешевые супермены.

— Ну, есть резон... Пошли?

Мазур хозяйственно запер дверь черного хода, они спустились с крыльца и повернули налево, направляясь к площади, где можно было поймать такси. Прошагав метров сорок,

Мазур услышал, как за спиной негромко заработал автомобильный мотор.

Но машина медленно поехала следом не раньше, чем они отошли еще метров на сто. Так и держалась в отдалении; Гвен не обращала на нее никакого внимания, а вот Мазур приготовился к любым неожиданностям.

Болваны какие-то, привыкшие работать по другим шаблонам, подумал он. Таким манером — двигаясь следом на машине с потушенными фарами — более уместно было бы падать на хвост в каком-нибудь мегаполисе с оживленнейшим даже ночью уличным движением. А здесь, на окраине столицы крохотного государства-острова в Карибском море, подобные ухватки выглядят сущим идиотством... Быть может, этот тип попросту не умеет иначе, не задумывается, как глупо выглядит?

Ладно, подумал Мазур сердито. В конце концов, я не на встречу с резидентом собрался и не на боевое задание двигаюсь. Всего-навсего повел девушку в недорогой ресторанчик, пусть хоть весь мир знает, благо девушка насквозь посторонняя и к их с Лавриком делу отношения не имеет...

И тут же по старой привычке вносить полную ясность поправил себя: насчет того, что девушка «совершенно посторонняя», утверждать пока что рановато...

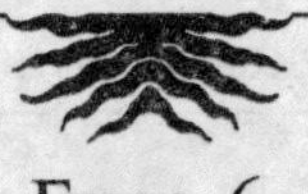

Глава 6
Ночная светская жизнь

Как бы там ни обстояло с окружающими загадками и полнейшей неизвестностью впереди, на данном историческом отрезке Мазур постарался расслабиться, коли подвернулась такая возможность. Благо недорогой ресторанчик вовсе не выглядел убогим, так как предназначался не для аборигенов, а для туристов, пусть и с тощими кошельками. А потому его интерьер был щедро украшен экзотикой в виде чучел тропических рыб, огромных ракушек на стенах, моделей кораблей и прочих диковин вроде огромных крабов и старинных пиратских тесаков.

Вот только в этом полушарии Мазур был не новичком, а оттого давно уже знал, что большинство чучел в таких вот кабачках — недурная пластиковая имитация, «старинные» клинки сделаны позавчера местными умельцами и мастерски состарены, а ракушки чуть ли не наперечет — опять-таки пластмасса. И наконец (это уже его собственный профессиональный опыт), модели парусников изображали суда второй половины девятнадцатого века, хотя блестящие таблички и объявляли их пиратскими кораблями бурного семнадцатого столетия. Но, в конце концов, какая разница, если красиво?

— Объяснил бы ты мне, чем можно заниматься с работодателем чуть ли не в полночь, — наивным тоном поинтересовалась Гвен.

Мазур безмятежно пожал плечами:

— То есть как это — чем? Кораблик осматривали, ясное дело. Я тебе не говорил, но дельце подвернулось удачное. Кладоискатели. Мечта морского бродяги вроде меня.

— Почему?

— Потому что на таких работать — одно удовольствие. Это тебе не на сухогрузе вкалывать... Люди плывут искать клад, у них, понятное дело, есть совершенно точная карта... Могу тебе признаться, как знаток: в девяноста девяти случаях из ста эти карты — грубая подделка. Но мне-то какая разница? Они старательно ищут клад, пока не надоест или деньги не кончатся, а я получаю жалованье, пока они во мне нуждаются.

— Обман, выходит?

— Ну почему? — сказал Мазур. — Не я же им впариваю эти карты и не я их убеждаю искать клады...

— А бывает, что находят?

— При мне что-то не бывало, — лихо солгал Мазур.

— Жаль, — сказала Гвен с искренней, как показалось Мазуру, грустью. — Это было бы здорово — найти клад, настоящий, серьезный, чтобы золото считать ведрами, а камешки — пригоршнями...

Мазур мог бы поклясться, что изобразившаяся на ее лице мечтательность была неподдельной. Вот что делает с людьми буржуазный мир чистогана, подумал он с классовым превосходством.

— Интересно, что бы ты сделала?

— Я? — Гвен уставилась сквозь него затуманенным взглядом. — Ну, будь уверен, я бы...

Ее лицо внезапно изменилось, она уставилась куда-то через плечо Мазура с откровенным испугом. Мазур с профессиональной легкостью подавил естественное желание обернуться. Спросил только:

— Что?

Она тихонько сказала:

— Тот тип, что к тебе сегодня вечером приходил. Прямо к нам идет...

Он решил, что все же следует обернуться — медленно, без всякой паники — с чего бы вдруг?

Здоровенный широкоплечий субъект в белом костюме при ярком галстуке остановился у их столика. На первый взгляд, в нем не было ничего криминально-гориллообразного: нос не перебит, рожа не зверская, никаких броских шрамов. Он просто-напросто идеально подходил под описание Гвен — дешевый супермен, а если проще, повзрослевший, но не поумневший дворовый хулиган: самоуверенный, нахальный, полагающий себя самым крутым, оборотистым, ловким. Так и казалось, что сейчас скажет: «А ну, шкеты, гони по двадцать копеек!»

— Кого я вижу! — воскликнул незнакомец, ухмыляясь, и даже сделал такое движение, словно собирался распахнуть объятия, но в последний момент передумал. — Мой старый друг Дикки Дикинсон собственной персоной! С девушкой сидит, винцо потягивает...

Натуральнейший штатовский выговор, отметил Мазур машинально. Откуда-то с запада... или достаточно долго на западе прожил. Совершенно незнакомая рожа. В жизни не сталкивались. Может быть, какая-то ниточка из Пасагуа потянулась? Но почему в таком случае называет Мазура его нынешним имечком, а не пасагуанским?

Мазур преспокойно сказал:

— То ли у меня склероз, то ли я вас, любезный, и в самом деле впервые вижу... Не напомните ли, где это я удостоился чести завести знакомство? Потому что сам я решительно не могу припомнить...

— Да брось, Дикки, — без тени замешательства протянул незнакомец. — Точно, засклерозил, парень. Старых друзей не узнавать, ишь ты!

И он протянул руку, чтобы придвинуть к себе свободный стул — но Мазур проворно задвинул его ногой поглубже под стол, накрытый скатертью в сине-красную клетку.

Детина, такое впечатление, не обиделся, хотя жест был недвусмысленный. Ощерил в ухмылочке белоснежные зубы:

— Дикки, ну ты прямо как не родной...

— Слушай, парень, — сказал Мазур убедительно. — Я тебя знать не знаю. Иди своей дорогой, усек? Не знаю, что ты тут за игры играешь, но нет у меня никакого желания в них участвовать... Я понятно выражаюсь?

— Да что с тобой случилось, Дикки? — с напускной грустью процедил незнакомец. — Был человек как человек...

Ну ладно, сам напросился, подумал Мазур. Он повернулся, сделал повелительный жест, и к нему моментально подлетел официант, улыбчивый мулат в белой курточке, предупредительно вытянул шею:

— Сэр?

Мазур небрежно, через плечо, ткнул большим пальцем в сторону назойливого незнакомца и со всей светской небрежностью, на какую был способен, проговорил:

— По-моему, у вас приличное заведение? Как видите, я пришел с девушкой... Та разновидность секса, которую мне за деньги предлагает этот господин, меня решительно не устраивает. Постарайтесь ему это втолковать...

Мулат глазом не моргнул, но весь подобрался и, повернувшись к субъекту в белом костюме, сказал довольно жестко:

— Вы же слышали, сэр, этот господин от вашего общества не в восторге... — и недвусмысленно указал подбородком на дверь.

Вот теперь незнакомец, сразу видно, обиделся не на шутку. Процедил с неприкрытой угрозой:

— Нарываешься, Дикки...

Глядя на официанта наивно, простодушно, кротко, Мазур вопросил:

— Можете вы что-нибудь сделать, чтобы избавить нас от этого типа?

То ли мулат подал какой-то незаметный для посторонних условный сигнал, то ли процедура и без того была отработана до мелочей. Занавеска рядом со стойкой бара колыхнулась, из-за нее появился огромный негр, двигаясь удивительно плавно и бесшумно для своих габаритов, подошел к столику и остановился за спиной незнакомца, сложив ручищи на груди. Необъятный был негр, крайне внушительный, немногим уступавший габаритами великанскому шифоньеру в комнате Мазура. Незнакомец в белом костюме, отнюдь не хлюпик, рядом с этой громадиной откровенно не смотрелся.

Негр возвышался над ним, превосходя в росте головы на три, а в ширину прямо-таки вдвое, он молчал, не двигался, взирая меланхолично, почти философски — но ситуация никаких двусмысленностей не таила.

Субъект в белом прекрасно понял прозрачный намек.

— Ну ладно, Дикки, еще встретимся... — сказал он многозначительно. Кивнул негру: — Всего хорошего, айсберг!

Насвистывая что-то, повернулся на каблуках и направился к выходу с беззаботным видом человека, вспомнившего о неотложном деле. Вышел, не оглянувшись.

— Досадное недоразумение, сэр, — поторопился заверить официант, а негр с тем же непроницаемым видом египетского сфинкса направился за занавеску.

— Что это за тип? — спросила Гвен тем же тоном подозрительной супруги, что с сегодняшнего дня как-то вошел у нее в привычку.

— Понятия не имею.

— Но он-то тебя знает?!

— Это он так говорит, — сказал Мазур беззаботно. — А я вот его впервые вижу...

С сомнением на него глядя, Гвен все же замолчала, тем более что официант принес очередное экзотическое блюдо. Вечер вовсе не казался испорченным окончательно, но Мазур порой ловил на себе ее обеспокоенный взгляд. Полное впечатление, что она всерьез встревожилась, а как там обстояло на самом деле, абсолютно неизвестно. Вполне могло оказаться, что эти двое прекрасно друг друга знали и играли одну игру...

Мазур не числил себя среди пророков и прорицателей, но у него уже стали появляться кое-какие пророчества касаемо самого близкого будущего. И, когда они через час с лишним вышли из ресторана, к стоянке такси он направился не прежней дорогой, а боковой, скверно освещенной улочкой, свернув туда так непринужденно и решительно, что Гвен своего мнения высказать попросту не успела.

Когда за спиной у них послышался свист, он ничуть не удивился — а когда навстречу из переулка выдвинулись четверо и проворно развернулись в шеренгу, недвусмысленно перегораживая улочку, Мазур ощутил нечто вроде скуки — очень уж это было знакомо и напоминало даже не боевые будни, а подростковые времена с битвами на танцплощадках и потасовками в проходных дворах. Совершенно та же методика, те же типажи, сплошная скука...

Он так и шагал вразвалочку, не особенно и замедлив шаг. Четверо ждали в совершеннейшем молчании. Гвен отреагировала как особе слабого пола и положено: вцепилась ему в локоть, ойкнула, пытаясь остановить.

Не без труда стряхнув ее руку, Мазур процедил сквозь зубы:

— Встань где-нибудь в сторонке и не дергайся...

И сделал еще несколько шагов. Остановился. Теперь их разделяло метра два, не больше. Двое белых, один негр — его хуже всего видно в темноте — один мулат. Вот последнему следовало уделить самое пристальное внимание: он крутил в руке увесистую длинную трость, сразу чувствуется, тяжеленькую, и вертел ее очень уж хватко, словно одну из тех штучек для рукопашного боя, которые во множестве выдумали восточные люди. На данный момент это был самый серьезный противник. Остальные стояли с голыми руками, не поблескивали зловеще в полумраке ножи и кастеты, не говоря уж о пистолетах. Вообще, они ничуть не походили на пьяных или ширнувшихся.

Ситуация носила все признаки нестандартности. Как-никак Мазур был не новичком на Карибах и местные реалии знал. Даже в этих райских местах достаточно мелкой уголовной шпаны, которая не прочь пощипать оплошавшего туриста, а то и девочку его цинично попользовать, но случается такое в трущобных криминальных райончиках, на глухих окраинах, а они сейчас пусть и не в центре города пребывали, но все же в довольно респектабельных по местным меркам кварталах, где шпана предпочитает не светиться...

— Так и будем стоять? — осведомился Мазур довольно громко, не дождавшись откровенных предложений насчет кошелька или часов и потому перехватывая инициативу.

— В точку! — откликнулся мулат, вертя трость вокруг запястья с нешуточным искусством. — Чего время тратить? Вынимаешь бумажник, снимаешь часики, оставляешь девочку — а сам дергаешь отсюда со всех ног. Куда тебе удобнее.

Мазур покосился вправо, где романтично белело девичье платьице — Гвен стояла достаточно далеко, прижавшись к кирпичной стене старинного, погруженного во мрак домишки — и, не размениваясь на пошлую перебранку, внес встречное предложение:

— Есть вариант получше. Быстренько бегите отсюда куда там вам удобнее, а я, со своей стороны, не буду вышибать зубы и ноги ломать...

Четверко кинулась на него молча и слаженно, едва дослушав. Трость высоко вылетела над головой, а в следующий миг круто изменила траекторию — этот шустрик сначала притворился, будто хочет огреть своим дрыном по башке, но вместо того нацелился ткнуть в солнечное сплетение. Но Мазур чего-то подобного ожидал, а потому молниеносно уклонился, пропустил палку мимо себя, а когда мулат по инерции посунулся вперед, потеряв на секунду равновесие, перехватил его запястье, приложил колено по буйному организму, и еще раз, выкрутил кисть, другой рукой добавил пониже уха.

Мулат головой вперед улетел к стене, покатился кубарем, а его увесистая трость осталась у Мазура в руках. Такой дрын да в умелых рученьках... Браво крякнув, Мазур пару раз крутанулся вправо-влево, влево-вправо и наискосок, то перехватывая палку за середину и тыча то набалдашником, то концом в кадыки, то лупя сверху вниз, по ключице, то снизу вверх — промеж ног. Трость порхала пташечкой, временами, когда она особенно смачно обрушивалась на очередной хулиганистый организм, раздавались столь звучные удары, что в душе вспыхивала мимолетная жалость — которой он и не думал поддаваться, добавляя то ногой, то локтем. Все это происходило так быстро, что никто даже не успел заорать от боли.

Безошибочно определив момент, когда забавы следовало закончить, Мазур отступил на несколько шагов, встал рядом с оцепеневшей Гвен, картинно оперся на трость обеими руками и окинул взглядом поле боя. Сразу ясно было, что победа одержана полная и окончательная — один лежал без движения, двое стояли на корточках, пытаясь сообразить, на каком они свете и кончился ли неведомый вселенский катаклизм, а четвертый, тяжело припадая на правую ногу, улепетывал вдоль улицы.

Тот, что был к Мазуру ближе других, начал приподниматься в вертикальное положение, бормоча что-то обычное для таких случаев: мол, достанем еще, разорвем на сто пятнадцать частей, душу вынем...

Могучим пинком отправив его обратно в горизонталь, Мазур взял девушку за руку и потянул за собой. Он не бежал, просто размашисто шагал, уже зная, что никто не кинется вдогонку. Ну и пошлости, подумал он с неприкрытой скукой. Все это ничуть не похоже на профессиональную работу, одна самодеятельность... или нет? Предположим, кому-то хотелось узнать, на что этот парень способен, если прижать его в темном переулке — и эксперимент блестяще удался. Но что было делать? Не позволять же бить себе морду? Само по себе умение непринужденно и весело отколошматить четверых хулиганов компроматом еще не является...

Он покосился на Гвен и фыркнул:

— Вот теперь — полный набор экзотических впечатлений. Карибская кулинария, карибские мелодии, карибская романтичная ночь, да вдобавок натуральное приключение в темном переулке...

— Ничего себе — приключение... — отозвалась она испуганно. — Я думала, в обморок упаду... Как ты их... Я тебя и не видела — так, мельтешение какое-то...

— Рад, что тебе понравилось, — скромно сказал Мазур.

— Где ты такого нахватался?

— Жизненный опыт, — сказал Мазур. — Когда болтаешься по белу свету в одиночку и полагаешься только на себя, поневоле научишься качественно бить морды...

Она опасливо оглянулась, ускорила шаг:

— Они за нами не погонятся?

— Не думаю, — сказал Мазур. — С них хватит... А почему ты так странно себя вела?

— Ты о чем?

— Для законопослушной американской девочки было бы наиболее естественным в такой вот ситуации орать, как корабельная сирена, призывая полицию... А ты и не пискнула. Настолько испугалась?

— Понимаешь ли... Я не знала, стоило ли звать полицию.

Мазур приостановился, глянул на нее с любопытством:

— То есть?

— Черт тебя знает, Дик. Вдруг бы я тебе навредила?

— Ого! — сказал Мазур. — Интересное заявленьице. Милая, я полиции ничуть не боюсь, документы в порядке и никаких хвостов за мной нет. Совершенно нечего опасаться.

— А как это совмещается со всеми странностями вокруг тебя? Этот тип, потом эти четверо... Я, конечно, не специалист, но они, по-моему, на обычных хулиганов не похожи...

— Умная девочка. И наблюдательная.

— Что тогда?

У Мазура мелькнула великолепная идея. Никто ему, конечно, не давал санкции на подобные хохмы, но и не запрещал...

— Тьфу ты, — сказал он совершенно естественным тоном. — Мне только сейчас пришло в голову... Вот оно что... А ведь чертовски похоже...

— Ты о чем?

— Довелось мне сидеть в тюряге... — сказал Мазур.

— Тебе?!

— А что тут необычного? — пожал плечами Мазур. — Три года сидел, у нас в Австралии.

— За что?

— Ловил девушек в темных закоулках. Насиловал, грабил и перерезал глотки. После девятой повязали.

— Да ну тебя! Думаешь, я поверю?

— Проницательная девочка, — сказал Мазур.

— Просто немного знаю жизнь. Дали бы тебе три года за такие вещи... Тут пожизненным пахнет...

— От тебя ничего не скроешь, — сказал Мазур. — Ладно. Порезал одного парня в кабаке. У него тоже был нож, и он сам нарывался — в портовых кабаках такое случается сплошь и рядом, знаешь ли. Но мне повезло больше. Вот и сидел три года. Так вот, там были парни гораздо похуже меня. И они меня потом хотели взять на работу... Смекаешь? Работа была очень уж поганая и рискованная, за такую как раз можно словить пожизненное. А у меня есть свои правила. Не тянет что-то делать нарушение закона профессией. Ну, послал их подальше и смылся. Вот и вполне может оказаться, что они меня и тут отыскали...

— Кошмар какой. Нужно, по-моему, обратиться в полицию. Если ты и правда ни в чем таком не замешан...

— Легко сказать, — хмыкнул Мазур. — А в чем их обвинить, и где улики? Сама посуди... Ладно, рано или поздно отвяжутся. На мне, в конце концов, свет клином не сошелся.

Какое-то время она молча шагала рядом с ним. Искоса поглядывая на спутницу, Мазур втихомолку веселился. Задумка была неплохая:

если она все же не имеет никакого отношения к этому придурку в белом, должна чувствовать себя не лучшим образом: нежданно-негаданно оказалось, что связалась с чертовски *мутным* парнем, вокруг которого кружится непонятная суета с криминальным оттенком. Если и дальше будет поддерживать отношения как ни в чем не бывало, значит, имеет к тому самые серьезные поводы... или просто бесшабашная. Черт, ну не Штирлиц я, сказал себе Мазур с нешуточным сожалением. Тот бы моментально установил истину, а мне вот не докопаться...

— Надо же, какой ты, оказывается, романтичный...

— Вздор.

— Нет, правда. В тюрьме сидел, по морям плавал, чуть не зарезал кого-то... До сих пор все мои знакомые были жутко добропорядочными и респектабельными.

Мазур подумал: то ли благонравная девочка, по контрасту с прежней размеренной жизнью возжелавшая пощекотать нервы сомнительной экзотикой, то ли поставлена в условия, когда просто нельзя отлипнуть от мистера Дикинсона. Нахамить ей, что ли?

— Вот уж кем меня не назовешь, так это респектабельным, — сказал он, не раздумывая. — Два месяца как из-за решетки. Все бы ничего, но без женщин тяжеловато...

Она фыркнула:

— Ходят слухи, вы там какой-то выход находите...

Мазур остановился, повернул ее к себе, аккуратно прислонил к теплому шершавому стволу вольно произраставшей пальмы, придвинулся вплотную и осведомился на ухо:

— Подробностей хочешь?

Она закрыла глаза и какое-то время смирнехонько пребывала в его объятиях, отвечая на поцелуи и позволяя вольничать руками, вырываться начала гораздо позже, возмущенно шепча:

— Ну не здесь же!

— А как насчет романтики? — поинтересовался Мазур, немного умеряя натиск.

— Это уже не романтика... Поехали домой.

— А дома что?

— Все, — пообещала она, проворно приводя платье в порядок.

Такси поймали на том же месте и добралисъ до «Ниагары» без всяких приключений. В кухне свет не горел, не похоже было, что мистер Джейкобс собирается просыпаться. Когда они поднимались по темной лестнице, Мазуру пришло в голову, что в ее комнате все еще может шуровать Лаврик, и он проворно потянул девушку к своей двери, тут же сообразив, что паникует зря — Лаврик не из тех, кого можно приловить врасплох. Она, впрочем, не противилась, вошла сама, остановилась возле постели и тихонько предупредила:

— Только без тюремных штучек, ладно?

— Ну, с этим мы сейчас определимся, — сказал Мазур ей на ухо, в два счета освободив от платья. — Договоримся, что считать тюремными штучками, а что, собственно, нет...

И уложил в постель довольно нагловато — в рамках той же стратегии, принялся избавлять от последних тряпочек с нетерпением человека, три года пребывавшего вдали от женского общества. Она не сопротивлялась, и все очень быстро пошло по накатанной — вот только Мазур никак не мог отделаться от впечатления, что за ними неустанно наблюдает то ли объектив, то ли просто чьи-то бесстыжие глаза.

«В жизни не пошел бы в разведчики, — подумал он рациональными остатками сознания, не задействованными в процессе. — Не жизнь, а преисподняя — они ж подобное должны каждую минуту испытывать, а?»

А впрочем, эти бдительные мысли вскоре перестали досаждать — и потому что девушка досталась ласковая, темпераментная и оттого, что все, собственно, происходило в рамках задания, партийной проработки опасаться не приходилось...

Равным образом не произошло и других неприятностей, которых он, ученый жизненным опытом, опасался, так сказать, с противоположной стороны — никто не ворвался в комнату, щелкая фотовспышками, махая полицейскими жетонами и громогласно обвиняя в изнасиловании юного непорочного создания. Само же создание (не столь уж юное и вовсе не страдавшее непорочностью) уютно устроилось у него в объятиях, вербовочных подходов не предпринимая и тайн не выпытывая.

— А если они заберутся в дом? — вдруг поинтересовалось помянутое создание.

— Кто?

— Эти типы.

— Глупости, — сказал Мазур, что-то не усмотрев в ее голосе *настоящего* испуга. — Еще раз разбить парочку физиономий — и отстанут в конце концов... Не бог весть какой серьезный народ.

— Честно тебе скажу, я в такую историю первый раз влипаю — гангстеры, любовник с тюремной отсидкой...

— Да вздор, — сказал Мазур. — Нет никакой истории. Абсолютно.

— И ты действительно бродячий моряк в поисках работы...

Что-то в ее тоне Мазуру крайне не понравилось. Он насторожился, но Гвен тему развивать не стала. Зато у него самого вдруг возникла версия, многое объяснявшая в происходящем.

И даже выругал себя за то, что не додумался до этого раньше — прекрасно зная напарника и его ухватки...

— Не совсем, — сказал он. — Вообще-то я главным образом продаю белых красоток нефтяным шейхам. Неплохой бизнес, если кто понимает.

— Да ну тебя. С твоим-то добропорядочным видом, несмотря на отсидку...

— Это я умело маскируюсь, — сказал Мазур. — Потому и бизнес процветает — кто меня заподозрит, такого добродетельного?

— Ерунда! — фыркнула Гвен, приподнялась на локте и уставилась на него, такое впечатление, пытливо. — По-моему, совершенно не в твоем стиле — продавать девушек. Уж если бы ты занялся чем-то противозаконным, то, такое у меня впечатление, выбрал бы более крутую, что ли, специальность: банки грабить на миллион или перевороты устраивать в таких вот экзотических местах вроде этого Флоренсвилля...

Мазур как лежал, так и остался лежать с невозмутимым видом, но чувствовал он себя, как человек, на которого неожиданно обрушилось с крыши даже не ведро с краской, а полновесный кирпич. Внезапно и качественно. Прикажете верить, что и э т о — дурацкое совпадение? Касаемо переворота?

— Какие еще перевороты? — сказал он насколько мог безмятежно. — Вот уж чем в жизни не занимался...

— Не знаю, мне просто в голову пришло...

Покопаться бы в твоей симпатичной головке с аппаратом для чтения мыслей, который пока что не изобрели, подумал Мазур. Ручаться можно, масса интересного обнаружится...

— Это все болтовня, — сказал он, выбрав самый простой способ изменить тему. — А вот мне в голову только что пришло...

И сгреб ее с самыми недвусмысленными намерениями. Она пискнула, но не сопротивлялась.

Глава 7
Бродячие моряки

Судя по первым впечатлениям, Сент-Каррадин как две капли воды походил на все карибские острова, где Мазуру довелось бывать — те же разлапистые пальмы, пестрые толпы курортников, безмятежно-синее небо, разноязыкая речь. Разве что висевшие там и сям государственные флаги были другие — столь же пестрые, разноцветные, чуточку уморительные...

Одним словом, неосуществленная мечта Остапа Бендера — почти все поголовно в белых штанах, предупредительные мулаты.

И шхуна под названием «Виктория» — потрепанное, ничем не примечательное деревянное суденышко, нужно отметить, довольно вместительное, чтобы ребята Бешеного Майка разместились там со всеми пожитками в относительном комфорте. Мазур сам именно такую посудину и раздобыл бы, доведись ему решать схожие задачи.

А еще следовало констатировать, что Бешеный Майк разместил свое плавсредство весьма даже грамотно: в самом конце длинного пирса, так что любой шпик, вздумавший бы изображать праздношатающегося случайного туриста, будет бросаться в глаза, как куклуксклановец в белом балахоне на молитве в негритянской церкви. Не случайно же на палубе развалились в легких раскладных креслах два крепких широкоплечих детинушки, лениво цедивших пивко и притворявшихся беззаботными. Наверняка у них под футболками имелось что-нибудь компактное и многозарядное — ну, предположим, палить средь бела дня они тут не будут, но все равно, оружия на «Виктории» должно быть предостаточно, народ определенного пошиба даже в сортир странствует с пушкой под полой...

— Подобраться к ним можно только с моря, а? — задумчиво спросил Лаврик. — Или с борта этой вот красавицы...

Мазур кивнул, проследив его взгляд. Метрах в двадцати от «Виктории» расположилось судно совершенно другого сорта — роскошная и огромная, гораздо больше шхуны, белоснежная яхта: собственно, никакая не яхта, без мачт и парусов, самый настоящий корабль. Но так уж повелось на загнивающем Западе — именовать подобные игрушки супербогатых бездельников «яхтами».

На корме означенной как бы яхты вяло трепыхался американский звездно-полосатый штандарт, что вполне соответствовало порту приписки, Новому Орлеану, надраенными медными буквами обозначенному под названием. Яхта звалась «Доротея».

— Вот именно, — сказал Мазур. — Безмятежной темной ночью тихонько ныряешь с «Доротеи», аккуратненько подплываешь под водой — расстояньице пустяковое — и крепишь пониже ватерлинии что-нибудь взрывчатое. Простенько и сердито. Можно подобрать заряд так, что на яхте не будет ни царапинки, а шхуна быстренько затонет к чертовой матери...

— Телепат ты у нас.

— В смысле?

Лаврик, отхлебнув ледяного пивка, безмятежно сказал:

— А потому что мы за этим сюда и прилетели. Качественно и без лишнего шума пустить эту посудину на дно. Глубина у пирса приличная, футов сорок, коробка моментально пойдет на дно... людишки, конечно, успеют повыпрыгивать за борт, но черт с ними, насчет них ничего такого не приказано. Задача одна — утопить шхуну. Майк останется с живой силой, но без пожитков. Вполне возможно, на этом дело и кончится, второй раз ему могут и не выделить денежек на амуницию, справедливо решив: коли уж судно рванули, значит, кто-то полностью в курсе, а следовательно, крепенько пахнет провалом... А в общем и целом, это все бесполезные умствования. Главное, у нас есть ясный и четкий приказ: в сжатые сроки пустить кораблик на дно, пока он не ушел во Флоренсвилль...

— Ну, в принципе, задачка несложная, — сказал Мазур, глядя на шхуну и уже прекрасно зная, где лучше всего крепить мину. — А конкретнее?

— Ну, конкретика — всецело на наше усмотрение. Мы с тобой мальчики опытные, не первый год окаянствуем по земному шару, и начальство совершенно справедливо рассудило, что на месте нам будет виднее. Не особенно сложная задачка, верно?

— Пожалуй, — сказал Мазур.

Теперь он смотрел на «Доротею». Там объявилась блондинка в красном купальнике-бикини, расположилась в шезлонге неподалеку от роскошного трапа и, надев огромные темные очки, определенно нацелилась позагорать, судя по расслабленной позе. Насколько можно судить на таком расстоянии, молодая и довольно симпатичная. Хмырь в белой курточке поставил рядом с ней на столик поднос, уставленный сифонами и бокалами — она и ухом не повела. Насколько можно судить по ее поведению, не залетная шлюшка дорогая, а полноправная обитательница роскошной яхты — даже издали в ней чувствовалась некая безмятежная уверенность человека, ощущающего себя посреди этой роскоши совершенно свободно.

— Я имею в виду, как насчет снаряжения? — спросил Мазур. — Акваланги и все прочее?

— Акваланги вообще-то можно достать при необходимости... вот только зачем? Ты, по-моему, в таких декорациях и без акваланга справишься, да и я тоже. Акваланг — штука громоздкая, с ним нужно таскаться, привлекая внимание... Резон?

— Резон, — подумав, кивнул Мазур. — А *гремучка*?

— Сам понимаешь, нам приказано идти по линии наименьшего сопротивления. Как бы вольготно и прочно себя здесь не чувствовали кубинские товарищи, какую бы надежную сеть ни создали, все равно, не стоит таскать по *каналам* штатные заряды, передавать их нам, держать где-то... Гораздо проще...

— Да ладно, я понял, — сказал Мазур без всякого неудовольствия. — Дело знакомое...

Он и в самом деле не видел здесь никаких препятствий. На острове полным-полно хороших аптек, где в два счета можно купить чертову уйму порошков и жидкостей, каждая из которых сама по себе совершенно безобидна. Но если в надлежащих пропорциях смешать их с кое-какими, опять-таки безобидными субстанциями, которые найдутся в любой лавочке, обслуживающей садовников и цветоводов... Садовников здесь хватает, значит, есть и обслуживающие их магазины... Алюминий раздобыть тоже не проблема — прозаические ложки, колесные диски и тому подобное. Поработав часок, изо всей этой мирной продукции можно в два счета соорудить *хлопушку*, которая эсминец или фрегат, конечно, не потопит — а вот деревянную посудину вроде «Виктории» отправит на дно моментально и качественно, тут и беспокоиться нечего. Главное, знать, что с чем смешивать и в каких дозах. Мазур знал прекрасно.

— Лучше всего — нынче же ночью, — сказал Лаврик. — В крайнем случае — следующей. Потому что послезавтра утром они точно уйдут на Флоренсвилль: погода прекрасная, никаких тайфунов на сотни миль окрест... Денег у меня достаточно. При нужде скупим хоть все аптеки и магазинчики «Все для садовода». С технической стороны — никаких сложностей. Вот над *процессом* придется поломать голову.

— А что ее ломать? — сказал Мазур. — У нас, собственно говоря, только два варианта. Первый — раздобыть лодку, акваланги и болтаться в море, изображая мирных туристов, увлеченных подводными красотами. Ночью выходим на рейд и цепляем сюрприз.

— Громоздко чуточку.

— Не спорю. А что прикажешь делать? Второй вариант, сдается мне, малость потруднее будет претворить в жизнь. Теоретически говоря, можно, конечно, исхитриться попасть в гости на эту шикарную посудину, — он подбородком указал в сторону блондинки, разнеженно дремавшей в шезлонге. — Дальше было бы совсем просто: протащил на борт все компоненты в обычной спортивной сумке, места они занимают немного... Изготовил ночью *сюрприз*, проплыл метров двадцать и прицепил, где следует... Но как простым австралийским парням вроде нас на эту «Доротею» попасть? Судя по виду, на ней не клерк какой-нибудь мелкий приплыл отдохнуть от дебета-кредита... Миллионер какой-нибудь хренов. Обратил внимание на кошечку?

— И обратил, что ты обратил... — хмыкнул Лаврик. — Действительно, лоханка исполнена пошлой роскоши...

— Чья она, ты не в курсе?

— Ну, не считай меня Джеймсом Бондом... Запрос, конечно, пошел, но такие дела быстро не делаются. Что ты на меня так загадочно таращишься?

— Дела мы вроде бы все обговорили?

— Ага.

— Тогда давай отвлечемся на побочные вопросы, — сказал Мазур. — Можно сказать, личные. Я в толк не возьму, чего все они липнут именно ко мне — и ветреная красотка Гвен, и этот хмырь в белом, с замашками дешевого гангстера. Но у меня, знаешь ли, подозрения родились, вспомнил недавние события на Пасагуа, где ты меня выставил на открытое место в качестве видимой за версту приманки...

Лаврик смотрел на него ясным, чистым, незамутненным взором юного ангела со старинной иконы, бесконечно далекого от мирской суеты и грязи. Лик его был благостен и непорочен. Он даже не улыбался, стервец.

— Вот это вот я и имею в виду, — сказал Мазур сердито. — Когда ты обретаешь вид святого отшельника, жди подвоха... Так что?

— Ну, ты уж не переживай, пожалуйста, — сказал Лаврик без тени раскаяния. — Интересы дела, сам понимаешь. Пришлось, тут ты в самую точку угодил, опять поставить в чистом поле убедительную приманку. В интересах дела, само собой. Но ведь сработало, верно? Вокруг *тебя* закрутились все заинтересованные лица, а на меня никто и внимания не обращает, и я могу работать спокойно... По-моему, ничего страшного с тобой не произошло. Подумаешь, помахался в темном переулке с местными недотепами. Есть и приятная сторона, а? В лице твоей новой подружки. Только ты тут мне не вкручивай, что в постельку ее тащил, превозмогая ужас и отвращение...

— Да поди ты, — сказал Мазур без всякого раздражения. — Все я понимаю. Интересы дела — это святое. Но ты мог меня хотя бы предупредить, что опять выставляешь болваном?

— Извини, не мог. Когда я на службе, я циник и хам, и не существует для меня дружеских привязанностей...

— А если бы мне дали по башке чем-нибудь тяжелым? Или разрядили магазин в могучую, но незащищенную спину?

— Ну, что ты, как дите малое... — поморщился Лаврик. — Такие вещи с кондачка не делаются, должны быть веские причины, а их пока что не усматривается. Тебя просто старательно изучают.

— И кто они?

— А хрен их пока что ведает, откровенно говоря, — сказал Лаврик. — Неустановленные личности, казенно выражаясь, — ни этот твой прилипала, ни крошка Гвен. В комнате у нее, кстати, ничего подозрительного не отыскалось. Только примитивный приемничек, по которому она тебя подслушивает.

— Значит, все-таки она микрофон всадила?

— Ага. Но зачем ей это и на кого работает, не докопались пока. Паспорт у нее, во всяком случае, штатовский. Как и у того хмыря. Трудно, понимаешь ли, в сжатые сроки установить таких вот, нигде допрежь не засвеченных субъектов. Но вот то, что от них за версту шибает дурным любительством — непреложный факт... Говорю, как специалист. Не профессионалы, которые талантливо притворяются дилетантами, а именно стопроцентные, патентованные любители. Есть все основания так думать. А посему не переживай особенно за свою могучую спину — о которой, помимо всего прочего, кубинские товарищи заботятся трепетно.

— Догадываюсь, — угрюмо сказал Мазур.

— Вот и принимай жизнь, как она есть... — ухмыльнулся Лаврик. — Пойдем, интереса ради побродим по пирсу? Почему бы тебе эту блондиночку не зацепить? С твоей-то неотразимостью и умением вмиг обольщать любое существо женского пола. Да ты не надувайся, как мышь на крупу, я не издеваюсь, а с завистью констатирую факт... Пошли?

Он бросил на столик местную банкноту — по размерам и пестроте ничуть не уступавшую флоренсвилльской, — и они, спустившись с террасы летнего кафе, двинулись вдоль пирса со всей беззаботностью праздных гуляк.

Оказавшись прямо напротив блондинки, Мазур непринужденно остановился, разглядывая роскошное судно и его пассажирку с той наивной бесцеремонностью, что обычно форменным образом обезоруживает людей деликатных. Похоже, блондинка — оказавшаяся молодой и, как уже подмечено, симпатичней — некоторой деликатностью обладала: она их заметила, легонько склонив голову к плечу, сама разглядывала какое-то время непрошеных зевак, но неудовольствия тем, что ее так бесцеремонно разглядывают, вслух не высказывала.

Их разделяло всего-то метров пять, не больше, и Мазур, нацепив одну из самых своих обаятельных улыбок, поинтересовался:

— Вам, случаем, матросы не нужны, мисс?

Не снимая темных очков и не меняя позы, она лениво откликнулась на том же английском:

— Вроде бы нет...

— Ваше счастье, мисс, — проникновенно сказал Мазур. — А то бы мы вам наработали, два разгильдяя...

Судя по всему, этот старый анекдот был ей решительно не известен — когда до нее дошло, она расхохоталась громко и искренне, даже очки сняла. Глаза оказались серые, вроде бы не исполненные особой непорочности, хотя с женщинами никогда ни в чем нельзя быть уверенным.

— Вы не к нам? — спросила она, кивнув в сторону надстройки, где в ближайшем иллюминаторе маячила чья-то физиономия с бакенбардами. — Тут столько народу толчется, что я, простите, и не упомню всех...

В ее английском Мазур пока что не усмотрел и следа американских наслоений — скорее уж откуда-то из Европы...

— Да нет, к сожалению, — сказал он честно. — Просто проходили мимо, два безработных моряка, увидели великолепное судно и очаровательную хозяйку...

— Я не хозяйка, я здесь в гостях.

— Это вас не делает менее очаровательной, — сказал Мазур светски.

— А вы, часом, ребята, не жиголо? — деловито осведомилась сероглазая. — Если да, валите подальше, я терпеть не могу таких.

Судя по первым впечатлениям, Мазуру она вовсе не показалась девочкой по вызову, пусть и дорогой — была в ней некая спокойная уверенность человека, пользующегося всей этой роскошью по праву, непринужденно и естественно. Тип с бакенбардами по-прежнему маячил в иллюминаторе.

— Бедняка всякий может обидеть, особенно дама с такой вот яхты, — грустно сказал Мазур. — Не буду вам давать страшных клятв мисс, но мы, право же, никакие не жиголо. Мы и в самом деле безработные моряки, искатели удачи, голодные, но романтичные.

— Не похожи вы на голодных ребят, — сказала блондинка с ухмылочкой, но вполне дружелюбно.

— Ну, я чисто фигурально, — сказал Мазур. — Ради поддержания образа. Но романтичные, это точно. Вас еще не угнетает эта бьющая в глаза роскошь? Может быть, вы согласились бы выпить пару коктейлей и потанцевать в каком-нибудь обыкновенном кабачке? Для самых обычных людей? Честное слово, платить буду я.

— Вы же безработный.

— Но не совсем уж нищий пока что, слава богу.

— Ага, — сказала блондинка, откровенно разглядывая его с неопытным выражением лица. — И я вас, конечно, поразила в самое сердце?

— Вы на меня произвели неизгладимое впечатление, — сказал Мазур с поклонам.

Лаврик легонько ткнул его в бок, проделав это незаметно. Мазур понял причину: справа, неизвестно откуда взявшись, обнаружился широкоплечий субъект в легком костюме, оперся на сверкающие перила метрах в десяти от Мазура и с напускным равнодушием уставился куда-то в пространство. Однако, что любопытно, его светло-серый пиджак топырился на левом боку именно так, как его способна была оттопырить немаленькая пистолетная кобура.

Спокойный такой, невозмутимый субъект в темных очках, на человека опытного производивший должное впечатление. Мазур подумал, что пора уносить отсюда ноги под благовидным предлогом. Хозяин яхты может оказаться вовсе не относительно честным олигархом, а каким-нибудь наркобароном, из пессимизма содержащим на судне полдюжины таких вот мальчиков с пушками под полой и крайне нервно реагирующим на нештатные ситуации, когда некие наглые субъекты начинают заигрывать с очаровательными пассажирками...

— Неизгладимое впечатление, — повторил Мазур грустно. — Но я не вчера родился и прекрасно понимаю, насколько глубока разделяющая нас пропасть классовых и социальных различий, а по сему позвольте откланяться...

Он вежливо поклонился и зашагал прочь в сопровождении Лаврика, чуточку подражая походке чаплинского бродяги.

— Эй! — окликнула блондинка.

Мазур обернулся, не останавливаясь.

— В восемь вечера, в «Ацтекской принцессе»!

Молча поклонившись, Мазур пошел дальше.

— Эй, парни!

На сей раз голос был мужской. Кто-то догонял их, откровенно топоча. Мазур выжидательно остановился. К ним вприпрыжку приближался тот тип с бакенбардами, что таращился из иллюминатора. Вот уж кто никак не походил на миллионера (равно как и наркобарона). Было в нем, с первого взгляда видно, нечто неуловимо плебейское: субъект лет сорока в шортах и пестрой гавайской рубашечке, с тщательно уложенными волосами, определенно поблескивавшими от чего-то вроде бриолина, и густыми, длинющими бакенбардами, косо подстриженными, достигавшими нижней челюсти.

— Ну? — выжидательно произнес Мазур, готовый к любым сюрпризам. Особой светскости он на сей раз не проявлял: типчик был, точно, не лишен вульгарности, этакой дешевой суетливости. В портовых кабачках такие, случается, предлагают то порошочек, то девочку, вообще все что угодно, вплоть до партии устаревших магазинных винтовок или совершенно точной карты с верным кладом. Правда, неясно еще, как оно сочетается со столь роскошной яхтой...

— Парни, вы в самом деле моряки? Ищете работу? Или просто чесали языки перед девчонкой?

Вот уж у кого был стопроцентный американский выговор — уроженца Среднего Запада, пожалуй что.

Мазур осторожно сказал:

— Ну, вообще-то, я не говорю, что работа нам нужна немедленно, кровь из носу, мы пока что при некоторых деньгах. Но от хорошей работы и в самом деле не отказались бы... Моряки, точно. Австралийцы.

— За штурвалом стоять? Яхтой управлять? И все такое?

— Этой? — Мазур кивнул в сторону «Доротеи».

— Да нет, тут-то полный комплект... Кораблик поскромнее, я имею в виду. Этакая прогулочная скорлупка. Понимаете, парни, у меня есть тут еще один кораблик... Это, между прочим, тоже мой собственный, — он не без гордости кивнул в сторону «Доротеи». — Нужно будет завтра сплавать на небольшой такой островок неподалеку отсюда, а потом — во Флоренсвилль.

— А «Доротея» чем же не годится? — спросил Мазур по-прежнему с некоторой настороженностью.

— Она пусть себе тут и стоит. Куча гостей, пускай себе веселятся... А мне нужно поработать. Поснимать кино. Я, чтоб вы знали, кинорежиссер, парни. Не Спилберг, конечно, но, скажу вам откровенно, дела идут нормально... В общем, мне нужно сплавать, поработать. А хмырь, который у меня за капитана и рулевого, третий день жрет виски так, словно сидел год в Сахаре. Полагаться на него нет никакой возможности, а дела ждать не могут... Может, договоримся?

Они переглянулись, и Лаврик кивнул. Мазур сказал веско:

— Если все будет совершенно законно. Никаких темных дел... Мы с приятелем ребята законопослушные.

— О чем разговор! Говорю вам, будем снимать кино! Ну что, по рукам?

— У нас тут еще дела...

— Я ж не говорю, чтобы непременно сразу! Когда управитесь, приходите на «Доротею». Меня зовут Гай, Гай Близард, и я там полный хозяин, так что валите смело на борт. А если что — в восемь в «Ацтекской цыпочке»!

— Прекрасно, — сказал Мазур. — Я — Дик, а это вот — Сид. Ребята трезвые и ответственные, если хорошо платят и не впутывают в темные дела...

— Сам увидишь, что никаких темных дел, Дик! Всего!

Он похлопал Мазура по плечу, повернулся и расхлябанной походкой направился обратно на «Доротею».

— Вот тебе и зацепочка, — тихо сказал Лаврик, когда они пошли дальше. — Даже две. И девочка тебя приглашала, и этот клоун. Вот только дешевый он какой-то для такой яхты, откровенно не сочетается... А впрочем, вариантов масса. Беспутный отпрыск делового папы, скажем, прожигает жизнь и ничего больше не умеет. Потому что и на серьезного гангстера он уж никак не похож — а у *мелкого* не было бы такой яхты... Словом, в восемь вечера, как штык, объявляемся в «Ацтекской принцессе». Посмотрим, что получится...

— А пока что? По аптекам?

— Чуть погодя, — сказал Лаврик. — Сейчас нам еще нужно будет с одним нужным человечком пересечься. Посиди пока на лавочке, я быстро...

Мазур послушно уселся на белоснежную скамейку, откинулся на спинку и бездумно уставился в море, вдали смыкавшееся со столь же голубым небосклоном. Краем глаза он наблюдал за Лавриком, поскольку никто ему не запрещал это делать. Напарник постоял у пальмы рядом со стоянкой такси, где теснилось дюжины две бело-синих потрепанных автомобилей — недолго, впрочем. Очень скоро появился смуглый субъект в белом, они перекинулись парой слов, Лаврик взял у него небольшую спортивную сумку и, не оглядываясь, вернулся к Мазуру. Сел рядом, расстегнул «молнию» и слегка развел края сумки:

— Выбирай, что на тебя смотрит...

Мазур посмотрел туда. На дне сумки покоились кольт сорок пятого калибра с белыми щечками рукоятки, украшенными накладными золотистыми драконами, и еще один кольт, уже револьвер, столь же серьезного калибра, с коротким дулом и простой рукоятью, коричневой, рифленой.

Его Мазур и выбрал — за изящную простоту; оглянувшись и не усмотрев поблизости нежелательных свидетелей, сунул за ремень, прикрыл полой легкого пиджака.

— А мне, значит, эту пошлость... — проворчал Лаврик, столь же проворно переправив за пояс по-дурацки разукрашенный пистолет. — Ладно, сойдет...

— Воевать будем? — спокойно спросил Мазур.

— Да ничего подобного. Просто-напросто нанесем светский визит. Подобные аксессуары, увы, необходимы, потому что на данном историческом отрезке мы — как раз те мальчики, что ходят в гости непременно с подобными причиндалами под полой... Мы с тобой, уж прости, вульгарные гангстеры.

— Бывало и хуже... — проворчал Мазур. — Куда мы?

— Прямиком на «Викторию», — преспокойно сказал Лаврик.

Мазур уставился на него с нешуточным изумлением.

— Работать, друг мой, нужно *культурно*, — проникновенно сказал Лаврик. — Подорвать к чертовой матери эту самую «Викторию» — сущий пустяк для таких хулиганов, как мы. Но мыслить-то, тут начальство кругом право, нужно стратегически. Мало ее подорвать, нужно еще и проложить ложный следок, чтобы бросался в глаза за пару кабельтовых... Пошли. Дойдем до центра, там возьмем такси, нам на машине проехать нужно — и чтобы не попасться на глаза обитателям «Доротеи», и по другим, гораздо более важным соображениям... Шагай. По дороге обсудим детали и немаловажные подробности...

Глава 8
Парламентеры с клыками наголо

Вылезши из такси (которое осталось стоять у трапа), они поправили темные очки, без которых, если верить Голливуду, ни один порядочный гангстер и на люди-то не выходит. Не мешкая, поднялись на палубу «Виктории» — как отметил Мазур мимоходом, изрядно захламленную и нуждавшуюся в приборке. Ну понятно, откуда у этого сухопутного воинства морские навыки, да и толкового боцмана у них, конечно же, нет...

Двое караульных, как и следовало ожидать, проворно двинулись им навстречу, пока что не хватаясь за оружие, — ну разумеется, хваткие ребята, видавшие виды, не склонные истерически размахивать стволами по самому пустяковому поводу...

— В чем дело? — пробурчал передний, все же держа руку так, чтобы при необходимости вмиг откинуть полу легкой крутки.

— Главный где? — остановившись к нему вплотную, рявкнул Лаврик, всем видом и осанкой как две капли воды напоминавший киношных гангстеров. Мазур добросовестно пытался это скопировать, но подозревал, что получалось у него гораздо хуже.

— Какой еще главный?

— Старший. Начальник, — терпеливо пояснил Лаврик. — Короче, тот, что у вас тут командует, и чихать мне, как он в точности зовется...

— Вам зачем?

Лаврик, убедительно осклабясь, процедил:

— Да рассказать ему, что он выиграл первый приз в викторине для домохозяек... Главный где, морда твоя тупая?

Стражи переглянулись. Они стояли грамотно — один прикрывал другого, но Мазур-то эти штучки прекрасно знал и, в свою очередь, моментально передвинулся так, чтобы *разбить* эту связку.

Они все еще, должно быть, надеялись, что произошло какое-то недоразумение. Второй так и помалкивал в тряпочку, будучи, очевидно, младшим в наряде. Другой без тени замешательства на дубленой загорелой роже спросил:

— Можете объяснить, какого черта вам нужно и кто такие?

— Ох, как он мне надоел, Билли, — громко сообщил Лаврик Мазуру, не оборачиваясь к нему. — Объяснить тебе, говоришь...

Он молниеносным движением выхватил свой изукрашенный кольт, упер дуло оппоненту меж ребер, постаравшись, чтобы для стороннего наблюдателя это выглядело незаметно. И грозно процедил:

— Веди к главному, зараза, иначе пристукну, как муху на пироге...

Мазур проворно взял на прицел второго, точно так же прикрывая револьвер полой пиджака. Тот так и не успел схватиться за оружие — Мазур выдернул у него из-за пояса ствол и переправил себе в карман. Лаврик тем временем столь же сноровисто разоружил второго. На палубе «Доротеи» никого уже не было, так что вряд ли там заметили нечто нестандартное, происходящее на палубе у ближайшего соседа...

Мазур прекрасно понимал их с напарником преимущества — люди Бешеного Майка пальбу откроют в самом крайнем случае, коль уж удостоверятся, что настал полный и окончательный трындец. Шум поднимать им не резон, у них своя задача, которой все и подчинено, они тут на птичьих правах и прекрасно соображают, что ни в коем случае нельзя привлекать внимание к их набитой контрабандным оружием посудине...

Чрезвычайно похоже, что такие именно мысли посетили обоих караульных.

— Документы покажите, — мрачно потребовал тот, что оказался под опекой Лаврика. — Если вы из полиции, растолкуйте, в чем дело...

Лаврик ласково сказал, покрепче прижав дуло к ребрам собеседника:

— А это вот, по-твоему, не документ? Из какой же ты глуши, дуролом, если такие штуки не признаешь за самые верные документы? Ладно, некогда мне с тобой язык мять. Веди к главному. Разговор будет.

— Ну, дело ваше, я вас предупредил... — проворчал тот. — Пошли.

И первым двинулся к трапу, ведущему в недра шхуны. Мазур подтолкнул револьвером второго, держась так, чтобы не угодить под какой-нибудь зубодробительно-руколомный прием.

Они спустились в узкий коридор, пахнущий старым гниловатым деревом и, довольно-таки явственно — оружейной смазкой. Для понимающего человека не составляло труда определить, что совсем недавно тут избавляли оружие от заводской смазки, долго и старательно чистили. Фирменный стиль Бешеного Майка, конечно: подержанным оружием предпочитает не пользоваться, только новеньким, нигде не засвеченным...

В коридор выходили двери нескольких кают. Но уделить внимание следовало не им, а появившемуся откуда-то сзади субъекту, который непринужденно и беззастенчиво целился в незваных гостей из доброго британского «Стерлинга», пусть и не самой последней модели, но выглядевшего ухоженным и новехоньким. Спокойно так целился, уверенно, хватко, в совершеннейшем молчании, не размениваясь на дешевые угрозы и страшные рожи. Автомат без глушителя, отметил Мазур. Не станет он палить сгоряча, приятно иметь дело с профессионалом...

Одна дверь открылась. В коридоре появился Бешеный Майк собственной персоной — легенда и звезда в своей неброской профессии, о чьих гнуснопрославленных свершениях Мазур еще в подростковые годы читывал немало. Была такая рубрика в «Вокруг света», какое-то идеологически выдержанное название, она, впрочем, и сейчас процветает...

Самое время умилиться — живую легенду зришь своими глазами и даже с пушкой наголо звезде противостоишь! — но, разумеется, не было времени на такие глупости.

Натуральный, доподлинный Майкл Шор, Бешеный Майк — в точности как на фотографиях, неведомыми путями попавших в руки тех, кто Мазура инструктировал еще во времена учебы. Только, понятное дело, выглядит теперь гораздо старше, снимки-то были сделаны черт знает когда...

— Ну, и что здесь происходит? — спокойно спросил Майк. — Ребятки, обращаю ваше внимание: у того вон парнишки в руках автомат. Он стреляет, если потянуть пальцем крючочек. А стрелять парнишка умеет.

— А смысл? — обаятельно улыбнулся ему Лаврик. — Вдруг мы из полиции?

— Ухватки не те, — лаконично сказал Бешеный Майк.

— Согласен, — кивнул Лаврик. — И все равно нет смысла палить в нас из трещотки. Мы ведь не сами по себе, там, на пирсе, есть еще люди, которые в случае нашей безвременной кончины постараются вам качественно осложнить жизнь.

— Догадываюсь, — ответил Майк.

Кремень, с уважением отметил Мазур. Работать с таким — одно удовольствие...

Бешеный Майк преспокойно продолжал:

— Думается мне, вы, ребята, пришли не драться, а поговорить.

— Золотые слова, — сказал Лаврик.

— Тогда уберите пушки, и поговорим спокойно. К чему эти дурацкие спектакли?

Лаврик, не задумываясь, сунул пистолет за ремень, кивнул Мазуру. Тот последовал его примеру. Майк сделал скупой жест, и автоматчик, сделав шаг вправо, скрылся в одной из кают. После секундного раздумья Лаврик вернул пистолет хозяину, и Мазур проделал то же со своим трофеем. Майк с каменным лицом спросил:

— Вы оба... переговорщики, или?

— Оба.

— Ну, в таком случае, прошу...

Он распахнул дверь, и все трое оказались в довольно тесной каюте. Мазур, окинув ее взглядом, моментально убедился, что оружие тут на виду не держат. Хозяин уселся на узенькую койку, прикрепленную к стене, без всякого радушия показал на другую, где они оба тут же и устроились.

Самое смешное, что Мазур чувствовал себя совершенно спокойно и не ожидал никаких сюрпризов, заранее зная, что их не будет — когда имеешь дело с профессионалами, можно расслабиться... ну, кончено, до известных пределов. Как-никак они были в точности такими же нелегалами здесь, как эта компания...

— То, что вы не из полиции, уже ясно, — сказал Бешеный Майк. — В таком случае?

— А, да что там вилять, — сказал Лаврик, непринужденно закидывая нога на ногу. — Отдельные несознательные личности нас именуют всевозможными жуткими терминами, наперечет неприглядными: мафия, мол, гангстеры, криминальный элемент, преступный синдикат... Лично я склонен придерживаться эпитета «деловые люди». В самом деле, если свести всю нашу деятельность к какой-то нехитрой формуле, выяснится, что мы занимаемся главным образом перевозкой и торговлей. Это исчерпывающее объяснение?

— Вполне, — невозмутимое сказал Майк. — Извольте в таком случае объяснить цель вашего визита...

— Собственно, тут и объяснять нечего, — сияя непринужденной улыбкой, сказал Лаврик. — Дело простое до скуки. Видите ли, друг мой, это *наш* островок. Всем, что касается определенных снадобий, неважно, в каком они виде — таблетки, порошочки, ампулки, курево, — здесь занимаемся мы, и только мы. Мы привозим, мы продаем. Монополия, извините. Чтобы добиться такого положения, как вы, быть может, догадываетесь, нам пришлось потратить уйму денег и трудов...

— Я примерно представляю.

— Совсем хорошо. Тогда вам должно быть понятно, каково нам было вдруг узнать, что на нашей, освоенной, завоеванной, можно сказать, нелегкими трудами территории вдруг объявляется некий совершенно беспринципный субъект, вздумавший возить сюда левый порошок... Я вас имею в виду, старина. Кого же еще? В общем, я уполномочен вам передать, что приличные люди так себя не ведут. Они не вваливаются нахальным образом делать бизнес на чужой территории. Очень уж это чревато, знаете ли.

Мазур, внимательно наблюдавший за Майком, ухмыльнулся про себя — как бы отлично ни владел собой спец по переворотам, на его физиономии все же отразилось нешуточное удивление. Что было вполне объяснимо — обвинение ведь насквозь беспочвенное, из пальца высосанное...

— А вам не кажется, молодые люди, что вы меня с кем-то путаете?

— Парень, мы не вчера родились, — проникновенно сказал Лаврик. — И своим веселым ремеслом занимаемся достаточно долго, чтобы набраться опыта... В особенности, когда тебя заложили ясно, четко, недвусмысленно. Ты еще не успел толкнуть порошочек, только начал приглядываться и прощупывать возможности, а тебя уже заложили, обстоятельно, добросовестно, и внешность твою описали не хуже какого-нибудь Рембрандта, и корабль, и его название, чтобы не было ошибки, на бумажке записали, и даже номер пирса — пятый...

Бешеный Майк молчал. Мазур хорошо представлял, какая умственная работа происходит сейчас за этим ничуть не узким лбом. Что я сам думал бы на его месте? Пожалуй... Что гангстеры настоящие — но кто-то им наплел с три короба провокации ради. Скорее всего, в этом направлении его мысли и рванут. Он ведь прекрасно понимает, что есть люди, которым грядущее предприятие придется не по вкусу, и они могли что-то пронюхать... Поскольку нет прямых улик для вмешательства полиции или спецслужб, самый простой финт — устроить провокацию, разделаться чужими руками...

— И кто же вас так обстоятельно, — он иронически подчеркнул последнее слово, — информировал?

— Ну, это уже наши дела...

— Все так и обстоит?

— Парень, с тобой тяжело вести дело, — досадливо поморщился Лаврик. — Нет, мы ехали мимо, нам приглянулся твой кораблик, и мы решили забавы ради повалять дурака... Хватит, а? Говорю тебе, не надо толочь воду в ступе. Давай придерживаться фактов. Их два, и оба железные. Первое: нам все о тебе с л и л и подробнейшим образом. Второе: люди, которые это сделали, достойны всяческого доверия. Вокруг этого — и только этого! — мы и будем плясать, нравится тебе это, или нет.

— И вам не приходило в голову, что это какая-то дурацкая...

— Хватит! — прикрикнул Лаврик. — Кончай придуриваться, ладно? По тебе за милю видно, что мужик ты битый жизнью и имеющий коекакой опыт... Что же ты строишь из себя придурка? У н а с, старина, ошибок попросту не бывает — очень уж дорого за них платишь в нашем бизнесе...

— И что же вы хотите?

— Вот это уже деловой разговор. Как только мы отсюда выйдем — а уйдем мы отсюда беспрепятственно, верно? — ты немедленно снимешься с якоря и уберешься к чертовой матери. Тогда мы о тебе забудем. Разумеется, ты тут больше в жизни не появишься. Несложные условия, верно?

— У меня нет возможности...

— Немедленно, ты понял, мыслитель? — рявкнул Лаврик уже предельно грубо. — Я и так с тобой проявляю ангельское терпение, другой бы давным-давно словил свинца... Думаешь, меня испугал твой придурок с трещоткой? Это н а ш остров, говорю тебе, парнишка. Ты и не представляешь, как мы тут прочно обосновались... Немедленно снимайся с якоря, усек? Как только мы с твоей посудины уйдем. Иначе вся твоя компашка мертвякам на местном кладбище позавидует...

На лице Майка присутствовала скорее досада, чем злость — Мазур его прекрасно понимал. Ну разумеется, он не может сняться с якоря немедленно — большая часть его людей где-то на берегу, в каких-нибудь дешевых гостиницах, нет смысла соблюдать вовсе уж строжайшую конспирацию и держать всех на судне. Очень может быть, и оружие еще не все погружено...

— Послушайте, — сказал Майк все с тем же непроницаемым видом, вызывавшим у Мазура нешуточное уважение. — Говорю вам, произошла дурацкая ошибка... или случилось какое-то идиотское совпадение. В жизни не занимался наркотиками. Есть у вас кто-то... более высокопоставленный, с которым мы могли бы обсудить...

Лаврик выглядел как человек, разозленный до крайности.

— Ну ты и тупой, парнишка! — сказал он, форменным образом скалясь. — С тобой, как ни пытаешься по-хорошему, получается пустая трата времени... Какие тебе, к черту, высокопоставленные? Королеву прикажешь притащить? На этом долбаном островке самые старшие мы с Билли... и могу тебя заверить, так будет еще долго! Мы здесь хозяева, президенты, генерал-губернаторы британской короны, султаны и прочее! Ты меня понял, придурок? Либо ты снимаешься с якоря немедленно, либо я твою посудину живенько пущу на дно с тобой, паршивцем, вместе. Финал переговоров, команды покидают стадион...

Он решительной поднялся, сделал Майку ручкой и, не оглядываясь, распахнул дверь каюты. Мазур последовал за ним, готовый при необходимости прикрыть огнем.

В коридоре никого не оказалось. Без сомнения, тот, с автоматом — а может, и кто-то еще, — зорко прислушивался к их шагам, но не вмешивался без приказа. Дисциплина у Майка всегда железная...

Ага! В коридоре возник-таки субъект со «Стерлингом» наперевес — другой, незнакомый. Но сзади послышалась резкая команда Майка:

— Пропустить!

Вот положеньице у человека, не позавидуешь, подумал Мазур не без веселости. Пристукнул бы нас обоих, как сусликов, но не решается, не зная, кто за нами стоит и каковы силы неприятеля. Кажется, вырвались...

Они были уже на палубе. Оба стража проводили их хмурыми, насквозь неприязненными взглядами, но дорогу заступить даже не пытались, не говоря уж о том, чтобы хвататься за оружие. Совершенно беспрепятственно они покинули «Викторию» и сели в такси.

— Вот так, — сказал Лаврик, беззаботно улыбаясь. — Представляешь, сколько теперь вариантов появится у нашего друга, когда *развеселеет*? Столько перед ним откроется версий, гипотез и догадок, что в этаком обилии утонуть можно с головой. Он, конечно, ни за что не может отплыть тотчас же...

Мазур бдительно показал ему глазами на водителя.

— Ничего, — с ухмылочкой сказал Лаврик. — Человек надежный, при нем можно...

Смуглый водитель обернулся к ним, дружелюбно усмехнулся Мазуру, показав великолепные зубы. На палубе «Доротеи», мимо которой они проезжали, по-прежнему никого не было.

— В аптеку? — спокойно спросил водитель.

— Нет особой разницы, — подумав, сказал Лаврик. — Если ближе в аптеку — сначала в аптеку. Если ближе в магазин для садоводов — в магазин. Последовательность тут никакой роли не играет, главное, все приобрести, что необходимо...

Глава 9
Чужие грехи на неповинной совести

— За нами, между прочим, хвост, — если кому интересно, — сказал водитель.

— Вижу, — ухмыльнулся Лаврик. — Только, собственно говоря, не за нами, а вот за ним, — он ободряюще похлопал Мазура по плечу. — Ну да, белый «плимут», ага... Твой вульгарный приятель с неистребимым американским акцентом, тот самый, который наслал хулиганье в темном переулке. И с ним еще какой-то хмырь, их в аэропорту фиксирнули, определенно за нами прилетели...

— Мне будет позволено узнать хоть какие-то детали? — спросил Мазур почти что и не сердито. — Нет, я все прекрасно понимаю: классическая ситуация, на роль «главного» выдвигают подставную фигуру, а *настоящий* тем временем хозяйствует вне всяких подозрений... Но хоть какие-то подробности я имею право знать, по-моему? Чтобы точно знать, чего ожидать?

— Видишь ли, в том-то и загвоздка, что деталей практически никто и не знает, — серьезно сказал Лаврик. — В игре пока что не замечено ни малейшего присутствия какой бы то ни было и чьей бы то ни было *державной* конторы. Специфика интриги такова, что ее крутят, как на подбор, *частники*. А это, сам понимаешь, все усложняет: частников столько развелось, что с ходу и не установишь, кто такие, на кого работают и чего хотят. Дилетант — кошмар для любой спецслужбы. Вот и приходится тебе, уж не посетуй, работать тем самым фонарем, на который летят бабочки... Не будут же они вечно ходить вокруг да около? Для чего-то же он к тебе лез? Ты уж — пострадай за други своя...

— А если они меня резать начнут? — спросил Мазур ехидно.

— Давай без шуточек, — поморщился Лаврик. — Можно подумать, тебя так просто зарезать...

— А если серьезно?

— *Зачем* им тебя резать?

— А потому что — дилетанты. Поди угадай, что им в голову взбредет, коли логика у них насквозь непрофессиональная?

Лаврик задумчиво сказал:

— Ну, если начнут резать, тогда, конечно, можно начать их обижать по полной программе... Нет, все равно, не думаю я, что помыслы у них убойные. Скорее всего, как всякие нормальные люди, выведать что-то захотят. Так что перед тобой открываются широкие возможности вдоволь потрепать языком, который у тебя неслабо подвешен. Мы ж не знаем, за кого они тебя принимают. Сам сориентируешься по ходу, если что... Можешь плести что угодно, можешь к кому угодно вербоваться, разрешаю — разумеется, не в своем подлинном облике...

Водитель, воспользовавшись паузой, сказал:

— Вообще-то можно было бы их потихонечку скрутить, компаньеро, и расспросить по душам...

— Минута делов, — кивнул Лаврик. — Вот только как мы будем выглядеть, если окажется, что вся потайная мощь *державы* обрушилась на какого-нибудь долбаного любителя? Который, к своему удивлению, обнаружит вдруг, что столкнулся именно с государством? Это ж придется думать, куда труп девать... Нет, давайте уж придерживаться прежней тактики. Благо приманка наша — не беззащитный ягненочек... – он повернулся к Мазуру. — В общем, так. Мы сейчас поедем покупать причиндалы для хлопушки, а ты поболтайся по городу пешком. Только пушку оставь здесь. Ни к чему ее таскать по пустякам, у тебя руки-ноги есть...

Он хлопнул водителя по плечу, и тот остановил такси у очередного летнего кафе, где примерно половина столиков была свободной. Ободряюще ухмыльнулся Мазуру:

— Не переживай, все путем, найдется кому прикрыть...

Мазур покосился на него, но ничего не сказал, вылез и захлопнул дверцу. Повернулся и не спеша пошел по тротуару навстречу движению. Уныния, конечно, не было ни капли, не говоря уже о страхе, жизнь и работу приходилось принимать такими, как они есть; если с тобой поступают так, а не иначе, начальству виднее... Насчет прикрытия Лаврик, вероятнее всего, не врал, эти карибские острова как раз из тех местечек, где кубинцы чувствуют себя, как дома. А зная Лаврика и его любимые приемчики, начинаешь всерьез подозревать, что где-нибудь под лацканом пиджака уже прилепился крохотный микрофончик — и не вчера, а, очень может быть, с того самого момента, когда они сюда приехали спасать недотепу-президента, одержимого зудом реформаторства...

Помянутый белый «плимут» не уехал вслед за такси, а нахально припарковался метрах в тридцати от Мазура. Старательно его игнорируя, Мазур присел за столик, заказал коктейль неведомо откуда материализовавшемуся, как джинн из бутылки, официанту, поудобнее расположился на белом стуле и постарался почувствовать себя своим человеком в Латинской Америке, что было не так уж трудно после всего, что он в этом полушарии успел наворотить.

Обе дверцы «плимута» распахнулись, вылезли двое и что-то очень уж целеустремленно двинулись в его сторону. Один, как и следовало ожидать, оказался дешевым суперменом, так и неизвестным пока что по имени. Судя по тому, как он издали дружелюбно скалился Мазуру и даже махал рукой, намеревался снова приставать самым беззастенчивым образом, как подвыпивший гусарский вахмистр к кухарке. Второй был решительно незнаком — субъект лет пятидесяти, худой, узколицый, меланхоличный, с вислыми усами и весьма нездоровым цветом лица.

Глупо притворяться, что не замечаешь человека, который из кожи вон лезет, чтобы привлечь твое внимание — и Мазур уставился на обоих выжидательно, без всякой теплоты во взоре.

Но супермена такие взгляды вряд ли могли смутить — скорее всего, он не играл развязного хама, а таковым и был, хоть в глаза плюй... Еще издали распахнул объятия и вскричал:

— Ну надо же, совпадение какое! По Флоренсвиллю гуляешь — так и жди, что Дикки навстречу попадется! Прилетаем сюда — и тут Дикки Дикинсон!

Он бесцеремонно придвинул стул и сел. Меланхолик устроился рядом не так проворно, но столь же решительно, молчал и таращился на Мазура с таким унынием во взоре, словно хотел, чтоб его пожалели.

— Полицейского позвать, что ли? — негромко, задумчиво вопросил Мазур в пространство. — Невозможно человеку спокойно выпить стаканчик...

— Успеется, — ухмыльнулся незнакомец. — А вот поставить мне стаканчик вполне бы мог. За то, что я человек незлопамятный. Другой бы на тебя, Дик, смертельно обиделся за тот поганый приемчик, что ты удумал в кабаке...

— Незлопамятный? — ухмыльнулся и Мазур. — Значит, на меня потом в темном переулке кинулись какие-то паршивцы исключительно по случайному совпадению?

— Да нет, конечно, — безмятежно сказал незнакомец. — Положа руку на сердце, это я их послал. Только вовсе не из-за того, что ты меня выставил черт-те кем в кабаке... Это в игру входило, понимаешь ли.

— Терпеть не могу игры, в которых мне заранее не объясняют правил, — сказал Мазур.

— Дикки, так мы за этим сюда и пришли! Думаем, что томить человека, пора ему объяснить, какая игра идет, чтобы он тоже включился...

— А если у меня нет никакого желания?

— Придется, парень, придется, — сказал супермен уже совершенно серьезно, без тени прежней придури. — Меня, между прочим, зовут Уолли. А это Хью. Вот и познакомились, а? Хью, покажи нашему другу свои причиндалы...

Унылый запустил два пальца в нагрудный карман пиджака и привычным жестом вытащил закатанную в пластик картонку со своей фотографией, парочкой печатей и несколькими строчками типографского текста. Наискось ее пересекала желто-сине-зеленая, цветов государственного флага республики Флоренсвилль полоса.

Судя по тому, что там значилось, унылый именовался Хьюбер Тоффи и в чине субинспектора состоял на службе в Центральном департаменте полицейского управления помянутой республики — другими словами, в том квелом подобии спецслужбы, что только и имелось во Флоренсвилле.

— Вот такие дела, — сказал Уолли. — Это я — простой парень, сам по себе, не обременен чинами и службой, а наш Хью — человек не последний среди тех, кто печется о законе и порядке. И в таковом качестве он тебе даже здесь может, если придет такое желание, устроить кучу неприятностей... Верно?

— Совершенно верно, мистер Дикинсон, — поддержал Хью скучным, безразличным голосом. — Между Сент-Каррадином и Флоренсвиллем существует множество соглашений о сотрудничестве, в том числе и в той области, что касается охраны правопорядка. У меня масса знакомых здесь среди коллег по ремеслу...

— Рад за вас, — сказал Мазур. — Но что-то не припомню, чтобы я в последнее время нарушал законы...

— Ну, все в этом мире относительно, — протянул Хью. — Это ведь будет зависеть не от того, что вы станете твердить в здешней полиции, а исключительно от того, что я расскажу моим здешним друзьям...

— Бог ты мой! — воскликнул Мазур с неподдельным ужасом. — Выходит, вы — недобросовестный полицейский? Способный пойти на злоупотребление служебным положением? Я вас правильно понял?

Не похоже, чтобы ему удалось задеть или рассердить унылого хоть самую чуточку. Тот по-прежнему восседал с безрадостной физиономией отца семейства, три дочки которого к несказанному позору для фамилии подались в проститутки, а сыновья все, как один, занялись разбоем на большой дороге.

— Все зависит от точки зрения, мистер Дикинсон. Я бы сказал, на меня возложены определенные поручения, которые мне следует выполнять в точном соответствии с инструкциями. Поверьте мне на слово, я всегда выполняю в точности все, что мне поручено. А это означает, что вы и в самом деле можете угодить в нешуточные неприятности. Поэтому на вашем месте я выслушал бы Уолли со всем вниманием и постарался пойти ему навстречу...

— Уговорили, — сказал Мазур. — Валяй, Уолли, я весь внимания...

— Ну, не здесь же, — деловито сказал Уолли, вставая. — Поехали потолкуем с глазу на глаз. Да не смотри ты на меня так, балда, никто тебя не обидит. Если бы я хотел тебя спустить головой вниз в море, давно бы наладил...

Мазур только пожал плечами — не рассказывать же этому типу, куда обычно отправлялись те, кто питал подобные замыслы? Он прошел следом за ними к машине, плюхнулся на заднее сиденье. Уолли на сей раз устроился не рядом с водителем, а сбоку от Мазура. Пояснил:

— Я, конечно, паренек доверчивый, но не настолько, чтобы иметь такого, как ты, за спиной...

— Какого — такого? — спросил Мазур.

Уолли так и закатился:

— Шутник ты, я смотрю... — и бесцеремонно охлопал Мазура со всех сторон. — А пушки у тебя нету... И правильно. К чему серьезному человеку таскать пушку без особой нужды? Я вот тоже не ношу. Полагаюсь на обаяние и умение убеждать...

— И как, получается?

— Да ты знаешь, до сих пор получалось...

Ехали они недолго, уже минут через пять Хью остановил машину у небольшого отеля под названием «Копакабана», и они втроем поднялись на второй этаж. Мазур шагал совершенно спокойно, видно было, что черных замыслов насчет него никто не питает, иначе повезли бы не в отель, где с трупом управиться трудновато, а куда-нибудь в джунгли, где на свидетельские показания мартышек и попугаев рассчитывать нечего.

— Ну что, приступим? — спросил Уолли, когда они кое-как разместились в тесноватом двухместном номере. — Давай без уверток и спектаклей, лады? Ты парень битый, и мы с Хью тоже не вчера родились. Кто ты такой, мы знаем. Зачем вы сюда приперлись всей компанией, тоже знаем. Кто нанял Майка Шора и вашу команду, знаем тем более... Только, я тебя умоляю, не нужно дешевых спектаклей! Не нужно пялить глаза, махать руками и орать, что тебя, пушистенького и безобидного, с кем-то перепутали! Кто ты такой, известно совершенно точно. Собственно говоря, и не нужно было затевать проверочку там, в переулке, но мне, извини, чертовски хотелось посмотреть, в самом деле вы такие крутые, как о вас рассказывают, или все же преувеличивают. Оказалось, правда. Хорошо ты их кидал по углам... Снимаю шляпу, чего уж там!

Ситуация была из тех, когда не знаешь, смеяться или плакать. Мазур ожидал чего угодно, но только не того, что его самого примут за одного из тех, кто вознамерился свергать президента. Перемудрил Лаврик со своими штучками, определенно...

Уолли истолковал его молчание по-своему.

— Молодец, — кивнул он. — Дурочку не валяешь. Я сразу понял, что ты умный парень...

— Что вам, собственно, нужно? — спросил Мазур.

— Нечто совершенно противоположное тому, что вы задумали, — моментально ответил Уолли. — Бешеный Майк собирается сорвать сделку, а меня, так уж карта легла, наняли как раз те, кто хочет, чтобы она все же состоялась...

— Какую еще сделку?

— Насчет «Райской долины», конечно, какую же еще? Парень, лопни мои глаза, у тебя такой вид, будто ты и в самом деле не в курсе... Нет, серьезно? А впрочем, ничего удивительного, откуда тебе знать такие тонкости, кто бы их тебе выкладывал... Решил, что Аристид хочет всю эту благодать и в самом деле национализировать, а?

— А что, не так?

— Он, конечно, со странностями, но не чокнутый... Дикки, парень, весь смак в том и состоит, что дядя Аристид намерен все эти отели, бунгало и пляжи продать потом как раз тем, что меня наняли присмотреть, чтобы все было чинно и благородно... Сообразил? Ну конечно, все будет обставлено чинно и благородно, не на другой день, не с бухты-барахты — но, честное слово, *изящно* все будет обставлено! Государственные интересы, инвестиции, забота об экономике и все такое... Все уже продумано в лучшем виде. — И он вздохнул с откровенной завистью. — Умеют же люди делать настоящие деньги...

— Могу вас заверить, мистер Дикинсон, что мой молодой друг очень точно обрисовал положение дел, — сказал Хью.

— Так-так-так... — сказал Мазур в некотором ошеломлении. — Начинаю понимать, ребята... И уж конечно, ваши работодатели купят все это хозяйство *задешево*?

— Вот именно, старина, вот именно! — нацелился в него указательным пальцем Уолли с широкой ухмылочкой. — *Настоящая* цена у Райской долины просто заоблачная. Чертову кучу денег пришлось бы выложить, я лично их себе и представить не могу. А вот купить по дешевке национализированное имущество выйдет в сто раз дешевле. Даже если дядюшка Аристид, как болтают, запросил миллион баков, ему их, будь уверен, дадут. Потому что миллион — все равно смешные бабки по сравнению с настоящей ценой, и сравнивать глупо...

«А мы-то! — подумал Мазур. — Мы обязаны из кожи вон вывернуться, чтобы сорвать реакционный переворот, направленный против прогрессивного государственного деятеля... А этот деятель просто-напросто решил разбогатеть в одночасье... Какой им смысл мне врать, этим двоим? Никакого. Вот так доктор и профессор, интеллигент хренов... А разве я таких мало видел по всему земному шару? Прикрывавших возвышенными лозунгами и трескотней о благе народном более страшные грехи?»

— Ну у тебя и видок... — хихикнул Уолли. — Не ожидал? Дядюшка Аристид оказался непрост... а вообще-то я его уважаю. Только глупые и убогие *тырят* по мелочам. Лучше уж подождать, выждать своего момента, а потом снять одним махом миллион зелененьких, и — в кумовья королю! Неплохо для профессора чего-то там и почетного доктора... Кто бы подумал!

— Да уж, — сказал Мазур с неподдельным чувством. — Кто бы подумал... Изящный финт...

— Ладно, что нам обсуждать деньги в чужих карманах? — сказал Уолли. — Нам от этого миллиона все равно ничегошеньки не отломится, значит, и думать нужно не о нем, а о тех реальных бабках, что мы с тобой можем заработать...

— Это каким же образом?

— Ну, не надо, я тебя умоляю...— поморщился Уолли. — Ты до сих пор держался, как парень здравомыслящий и сообразительный, не притворяйся, что резко поглупел. Давай в открытую, без единой картишки в рукаве? Ослу понятно, что нынешние хозяева Райской долины своего добра лишаться не хотят — вот и наняли Бешеного Майка, а Майк привез вас... Только мои работодатели, как легко догадаться, тоже не хотят упускать столь выгодную сделку. Такая раз в жизни случается... Короче, мне за то и платят... и не только мне... чтобы мы ваше предприятие аккуратненько сорвали.

— А получится? — усмехнулся Мазур.

— Должно получиться, — серьезно сказал Уолли. — Мне, конечно, не миллион светит, учитывая, что я в деле не самый старший, но все равно, для *меня* обещанная сумма очень даже солидная, и я за нее намерен драться когтями и зубами. Даже если придется малость навредить такому обаятельному и хваткому парнишке, как ты. Тут уж каждый сам за себя, согласись, ты бы на моем месте тоже не церемонился...

— Возможно.

— Вот видишь...

— Ну, и что ты от меня хочешь?

Уолли даже удивился чуточку:

— А что тут непонятного? Ты, приятель, расскажешь, как на духу, подробно и обстоятельно, обо всем, что вы намерены предпринять. Детали, подробности, сроки и прочие пикантные мелочи. А потом мы вместе подумаем, как сделать, чтобы ваша авантюра с треском провалилась.

Мазур усмехнулся насколько мог циничнее:

— Но мне-то, Уолли, платят совершенно за другое...

— Я знаю, — сказал Уолли. — Но жизнь, видишь ли, таким зигзагом обернулась, что это ты у меня на мушке, а не я у тебя. Ты не дергайся, я, сам понимаешь, в переносном смысле... В общем, это я тебя взял за шиворот, а не ты меня. Хочешь не хочешь, а придется договариваться.

— Уверен, что мы с тобой будем толковать?

— Ты же не дурень, — сказал Уолли. — Можешь, конечно, двинуть меня или Хью этим вот стулом или тем графином, ломануться отсюда со всей прытью. Соображаешь прекрасно, что не будем мы стрелять, даже гнаться за тобой не будем... Но этакими прыжками ты себе сам все загубишь.

— Мой друг совершенно прав, — бесцветным голосом поддержал Хью. — Для вас сейчас самым скверным решением было бы уйти отсюда — все равно, с дыркой или без таковой...

— Мы же не сами по себе, старина, — энергично вклинился Уолли. — За нами стоят люди, у которых может уплыть из-под носа чертовски выгодная сделка: приобрести за миллион то, что стоит раз в сто дороже, если не в двести... Они, конечно, простые бизнесмены, за ними нет ни государства, ни какой-нибудь крутой конторы вроде ЦРУ. Но, с другой стороны, это их положение, шепну тебе по секрету, как раз облегчает: государство или даже ЦРУ вынуждены оглядываться на прессу и прочую хренотень вроде сенатских комиссий, а частное лицо, про которое никто и не слыхивал, чувствует себя не в пример свободнее, и руки у него развязаны... Десяток таких, как мы с тобой, булькнут в море с каменюгой на шее, а никто и не почешется...

Глава 10
Толкотня вокруг Майка

— **В**от это-то меня и беспокоит, — сказал Мазур. — Развяжешь язык — и булькнешь в пучины...

— Да ладно тебе. Мы тут все люди деловые. Майк тебе, подозреваю, не отец родной и уж тем более не любимая тетушка? Он тебе просто-напросто платит...

— Вот именно. Платит. За толковую работу и, что немаловажно, умение держать язык за зубами. Никогда не слышал, как он с предателями поступает?

— «Предатель» — это все лирика, парень, — сказал Уолли. — Предпочитаю словечко «сделка». Мы с тобой заключим сделку, вот и все. Если ты не дурак — а ты парень с мозгами, сразу видно — то никто ничего и не узнает... Сколько придется на нос каждому из вас за участие в деле? Тысяч десять, самое большее — пятнадцать, а? Можешь не говорить, мы и сами примерно знаем. Не бог весть какие сокровища. А мы тебе прямо сейчас дадим двадцать пять кусков. И даже расписки не потребуем. Какая, к черту, расписка, когда имечко у тебя, биться об заклад можно, насквозь ненастоящее, как и паспорт... Ударим по рукам, как ответственные люди, вот и все. Ты мальчик большой, сам понимаешь, что, взявши деньги, обманывать нехорошо...

— Ага, — сказал Мазур. — А потом, когда я вам все выложу, вы у меня можете преспокойно не только деньги отобрать, но и дать по башке чем-нибудь тяжелым и отправить на пропитание рыбкам.

— И чего ты пугливый такой?

— Мистер Дикинсон, по-моему, не пугливый, — сказал Хью. — Он, такое впечатление, уже торгуется...

— Пойми ты, дубина, — с ласковой фамильярностью сказал Уолли. — Ну кто тебя будет топить? По чисто деловым причинам невозможно. Утопи тебя, а Майк всполошится...

— Я не имею в виду *сейчас*, — сказал Мазур. — Я про «потом». Предположим, я вам все выложил. А потом, когда начнется заварушка, ваши ребятки меня преспокойно пристрелят вместе с остальными или засадят в тюрьму. Ты же не будешь меня уверять, что пытаешься меня расколоть из чистого научного любопытства? Кошке ясно, что будет некое противодействие...

— Не парься, — сказал Уолли. — Какая там пальба, какая тюрьма! Говорю тебе, это сугубо *частное* мероприятие. Никто не намерен поднимать лишнего шума и впутывать государство. Всю вашу банду с Майком во главе просто-напросто разоружат и выставят к чертовой матери, убедительно посоветовав в жизни сюда не возвращаться...

— И я должен тебе верить?

— А выход у тебя есть? Я ведь и осерчать могу. И поймают тебя тогда местные копы с приличным пакетом марихуаны в кармане, причем свидетелей будет куча...

— А в *этом* случае Майк не всполошится?

— Не особенно, я думаю, — убежденно сказал Хью. — Можно обтяпать все так, что комар носа не подточит. Он сам прекрасно знает, что у него за мальчики — оторви да брось. Наркотики, или попытка изнасилования непорочной школьницы, или стрельба спьяну в баре средь бела дня... Что-нибудь такое, что вполне в духе белого джентльмена удачи... Мало ли примеров?

— Все равно, для меня это чертовский риск.

— Только если не удержишь язык за зубами. Между прочим, на тебе ведь свет клином не сошелся. Не думай, что ты такой уж незаменимый. Вы и так уже, словно под рентгеном. Кому надо, давно вычислили вашу «Викторию», чуть ли не всех ваших, кто смирнехонько сидит по пансионатам и отельчикам. Кто-нибудь другой из вашей же командочки может захотеть эти двадцать пять штук заработать, благо особого труда и не нужно — знай только языком болтай да не ври при этом...

— Двадцать пять — по-моему, маловато.

— Ни цента больше, — отрезал Уолли. — Денег у меня не мешок. На все про все, знаешь ли, выделили четкую сумму... как это там называется? Ага, смета! Вот именно. У меня есть смета, и я за нее не могу выйти. Ровнехонько двадцать пять тысяч у меня значится в строчке «покупка информации». Между прочим, это тебе отличный аргумент за то, что дела я веду честно. Захоти я тебя обштопать, пообещал бы золотые горы и луну с неба. А я тебе говорю честно, как правильный парень правильному парню: у меня для тебя есть ровно двадцать пять штук, и ни грошиком больше. Или ты их берешь, или попадешь в неприятности... а хрусты достанутся кому-то другому из вашей же братии. Кончай ломаться, а? Ты не старшеклассница, а я не провинциальный ловелас...

И в самом деле, не стоило затягивать комедию до бесконечности. Благо инструкции у Мазура были самые недвусмысленные: продаваться хоть черту с рогами. Может быть, это и есть наилучший выход: навести на Бешеного Майка этих молодчиков, чтоб они всю грязную работу и проделали? А над деталями пусть потом ломает голову Лаврик, ему положено...

— Деньги на стол, — сказал Мазур.

— Я же не на голову ушибленный, таскать в кармане такие бабки! Они в сейфе, на первом этаже...

— Вот и сходи.

— Резонно, Уолли, — подал голос Хью.

— Ну ладно, — повеселевший Уолли поднялся. — Только смотри тут, не вздумай без меня шалить. Хью у нас хотя и выглядит, как учитель в школе для малолеток, но в переделках бывал, и с ним не так просто справиться. Попробуешь отколоть какой-нибудь фокус — так и попухнешь на этом островке, зуб даю...

Он вышел, что-то весело насвистывая. И Хью мгновенно переменился. Наклонился к Мазуру довольно энергично для такой снулой рыбы, внятно зашептал в ухо:

— Деньги можете взять, но, если вам жизнь дорога, не вздумайте рассказать хоть кусочек правды. Придумайте что угодно, лишь бы звучало убедительно. Понятно вам? Дату переворота сдвиньте на несколько дней вперед от реальной. И план сходу придумайте какой-нибудь другой. В конце концов, вы далеко не все знаете...

Мазур уставился на него в неподдельном изумлении.

— Я с вами не шучу, — сказал Хью тихо. — Это я вас прикрываю, понятно? Этот болван сглотнет все, что угодно — я, будьте уверены, скажу, что ваша информация полностью соответствует той, что у меня уже есть...

— Что за игры?

— Никаких игр, — отрезал Хью. — Благодарите бога, что именно на меня и напоролись... впрочем, так и было предусмотрено. Мы его с самого начала взяли под присмотр...

— Ах, вот оно что... — протянул Мазур, все еще в некотором обалдении.

— Дело слишком серьезное, — сказал Хью. — Никак нельзя было пускать на самотек... И смотрите у меня, если пискнете что-то о настоящем плане — а я в курсе многого, учтите — вы у меня оба отсюда живыми не выйдете. Уж как-нибудь придумаем, как все это объяснить. Вы ведь и друг друга пришить могли... Ну, ясно вам?

Он смотрел на Мазура пытливо, не мигая, как удав. Оставался прежним, меланхоличным пожилым пессимистом — но глаза стали совершенно другими. Сейчас у него были холодные, пустые, бесцветные глаза человека, привыкшего и умеющего убивать. Таким глазам следовало верить. Есть некоторый опыт...

— И постарайтесь потом не болтаться по этому благословенному острову, — тем же быстрым шепотом продолжал Хью. — Вокруг этого дела началась нешуточная суета... Обязательно передайте Майклу: улица Риверс-роуд, дом пять, квартира шестнадцать. Это и есть тот адрес. Квартира любовницы Аристида. Он обычно приходит вечером и остается до утра. Охраны, как правило, нет. Постараюсь, чтобы и на этот раз не было. Как только я узнаю, что он собрался к Джанет, позвоню вам.

— Куда? — спросил Мазур, еще толком не придя в себя от таких резких поворотов сюжета.

— Домой, черт возьми! В дом Джейкобса! Что, я не знаю, где вы обосновались? Все уяснили? – он покосился на дверь. — Тишина и спокойствие!

Дверная ручка — массивная, литая, старомодная — уже поворачивалась. Мазур сунул в рот сигарету и притворился, что всецело поглощен поисками зажигалки по карманам.

Под носом у него вспыхнул бензиновый огонек.

— Кури, кури... — благодушно сказал Уолли. Сел за стол напротив, извлек из внутреннего кармана пластиковый пакет, в котором просвечивали зеленые президентские физиономии, аккуратно положил его точнехонько посередке меж собой и Мазуром. — Ну, Дикки, денежки — вот они. Валяй, рассказывай.

Мазур тяжко вздохнул. И начал колоться. Он и без напутствий Хью знал, что следует ссылаться на свою подчиненную роль, из-за которой он, кошке ясно, не может быть посвящен во все детали. Но все же следовало выложить достаточно, чтобы не разочаровать тех, кто платил деньги. Одним словом, он с ходу выдумал и преподнес с красочными подробностями план грядущего переворота, отличавшийся от известного ему, как небо от земли — по Мазуру, Бешеный Майк собирался разделить своих орлов на два отряда, и один должен был еще до рассвета захватить Аристида прямо в его доме, а другой занять здание Дворца правосудия, где размещались все, кто распоряжался полицией и национальной гвардией. В общем, поскольку он все это измыслил с учетом своего реального боевого опыта, план смотрелся довольно убедительно и насквозь жизненно. Правда, совершенно не понятно, сможет ли это в должной степени оценить штафирка Уолли...

— И все?

— И все, Уолли, — сказал Мазур с честными глазами. — Все, что мне известно. Я понял по некоторым намекам, что у Майка есть кто-то *купленный* в национальной гвардии, и этот тип выведет ко Дворцу правосудия два броневика — а остальным двум сыпанет в баки какую-то гадость, потому что людей у него мало, только на два броневика и хватит... А все остальное можно выяснить исключительно у самого Майка. Он в таких случаях своим людям рассказывает не более половины — потому до сих пор и занимается бизнесом вполне удачно...

Уолли задумчиво уставился в потолок.

— Порядок, Уолли, — бесстрастно сказал Хью. — Он не врет. То, что мне уже известно, именно этому плану в точности и соответствует. Смело можно отдать деньги.

— Уверен?

— Абсолютно.

— Ну ладно, — сказал Хью и пододвинул пакет к Мазуру. — Держи хрустики, если со мной по справедливости, я слово держу со всей честностью...

— Слеза прошибает от умиления, — сказал Мазур.

Он взял пакет, совсем легкий, хотел было небрежно сунуть его во внутренний карман пиджака, но вовремя спохватился и вспомнил, что настоящий белый наемник, искатель удачи, жертва буржуазного общества, никоим образом не может так поступить — иначе самым роковым образом выпадет из образа. Развернул прозрачный пластик, вывалил на стол зеленые бумажки и старательно принялся их считать, по мере актерского мастерства подражая Хайнцу. Он надеялся, что выражение лица у него при этом достаточно алчное.

Все оказалось в порядке, ровно двести пятьдесят бумажек с портретом сытенького, щекастого президента, улыбавшегося чуточку загадочно.

— Ну вот, а ты сомневался, — сказал Уолли, похлопывая его по плечу. — Все точно, как в банке. Главное, держись за меня, парень, и уж точно не пропадешь, старина Уолли дурного не посоветует...

Он мучился самодовольством, вновь напялив свою прежнюю личину дешевого супермена со Среднего Запада. Мазур перевел взгляд на сидевшего с непроницаемо-унылой рожей Хью и подумал, что до настоящего супермена этому дуболому еще как до Китая раком: кроме Уолли, здесь присутствовали два человека, и оба, всякий на свой манер, обвели янкеса вокруг пальца... Остается только посочувствовать.

— Ну, шагай, приятель, — сказал Уолли. — Мы в центре города, сам доберешься, не маленький. А нам тут надо обмозговать кое-какие дела. И я тебя душевно прошу — оставайся и дальше хорошим мальчиком, чтобы дядя Уолли не обиделся...

Мазур был никак не расположен к долгим, прочувствованным прощаниям. Он попросту кивнул обоим, вышел из номера и спустился по лестнице, с некоторым сумбуром в голове. Суета и толкотня вокруг Райской долины разворачивалась нешуточная — и, если уж быть пессимистом, как оно приличному человеку его профессии изначально положено, то можно предполагать, что известными уже игроками дело может не ограничиться...

Он вышел на улицу, огляделся, сориентировался и не спеша зашагал в сторону порта. Минут через пять его обогнало такси, прижалось к тротуару. Задняя дверца призывно распахнулась. Мазур уже увидел Лаврика и потому сел в машину совершенно спокойно. Облегченно вздохнул, откинувшись на спинку сиденья.

— Значит, говоришь, продался империалистам за двадцать пять кусков? — спросил Лаврик, ухмыляясь.

На колене у него лежал небольшой транзистор — ну да, так и есть, где-то на одежде Мазура надежно прилепилась крохотная сориночка, ничем не похожая на то громоздкое устройство, что добрая душа Гвен присобачила на шифоньер...

— Все слышал?

— А как же, — сказал Лаврик. — В рамках заботы о тебе, несмышленом и неопытном...

— Прекрасно, — сказал Мазур. — Значит, слышал, что на самом деле замыслил дядюшка Аристид? По-твоему, они не врали — этот хмырь полицейский и Уолли?

— Наверняка нет, — сказал Лаврик. — Чрезвычайно похоже на правду и многое объясняет. Ай да Аристид. Интеллигент захотел разбогатеть *резко*. И способ, надо сказать, придумал надежный и весьма даже нестандартный... Изящно, чего там...

— Погоди, — сказал Мазур. — Но мы ведь... Мы-то его, прогрессивного реформатора, спасаем от происков мирового империализма, а на самом деле совсем другая картина разворачивается...

Какое-то время Лаврик напряженно о чем-то думал, но длилось это недолго.

— Друг мой, — сказал он с отрешенным видом. — Мы *сами*, знаешь ли, никого не спасаем. Мы просто-напросто выполняем приказ начальства, коему, в свою очередь, спустили ценные указания с самых что ни на есть заоблачных высот... И поскольку не поступило нового приказа, отменяющего предыдущий, остается продолжать в том же духе.

— Но нужно ведь...

— Ну разумеется, — сказал Лаврик. — Отправим донесение по всей форме. И, пока оно будет путешествовать по всем инстанциям, времени немало пройдет... Есть сильные подозрения, что все будет кончено раньше, прежде чем оно доползет до самого верха.

— Но ведь... — сказал Мазур уныло.

Он и сам не знал толком, чего старается добиться и что хочет доказать и кому. Просто все было как-то неправильно, вот ведь какая штука...

Покосившись на него, Лаврик грустно улыбнулся.

— Ты уже который год болтаешься по свету и общаешься главным образом с подонками цивилизации и прочей изнанкой жизни, — сказал он задумчиво. — Насмотрелся, на три жизни хватит. Чего ж впадаешь в уныние, наткнувшись на очередного скользкого типа, который прикидывается совсем не тем, чем кажется? Загрубеть пора душою, верно тебе говорю.

— Да нет, ничего такого, — сказал Мазур. — Приказы не обсуждаются, понятно. Просто... душевный настрой не тот. Я-то искренне нацелился помочь хорошему человеку против наемных супостатов, а он, сука, всего-навсего решил огрести денег, не выбирая средств...

— Переживешь, — сказал Лаврик убежденно. — Тебе, как-никак, сегодня весь вечер в кабаке клинья бить с той красоточкой с яхты — а мне, заметь, часов несколько вкалывать с напильником, превращая в стружку этот вот люминий, — он похлопал по стоявшей меж ними сумке, набитой какими-то угловатыми пакетами. — Так что если уж кому на судьбу плакаться, то никак не тебе...

Глава 11
Самые светские увеселения

Еще издали, когда такси свернуло на широкую, ярко освещенную улицу, Мазур увидел вывеску из желтых неоновых трубок — причудливые буквы, складывавшиеся в слова «Ацтекская принцесса», какие-то экзотические узоры. Судя по зданию, кабак был не из дешевых, а самый что ни на есть респектабельный — вполне логично, учитывая, какой роскошной была яхта под американским флагом.. В уныние это его ничуть не повергло: одет он был прилично, а в кармане лежали все без изъятия неправедные денежки, полученные за продажу вымышленных секретов Бешеного Майка. Наверняка достаточно, чтобы заказывать омаров в шампанском, по-купечески мазать официантов горчицей и писать в рояль... стоп-стоп, вряд ли в этом недешевом заведении принято развлекаться подобным образом. Но все равно, не придется мусолить весь вечер самый дешевый коктейль...

Швейцар, высоченный негр в белоснежной униформе, щедро изукрашенной золотыми галунами, распахнул перед ним высокую стеклянную дверь, и Мазур в нее прошествовал, не моргнув глазом. Пока что он был на уровне. Картину портила только спортивная сумка, висевшая на плече, но тут уж ничего не поделаешь: все мое ношу с собой, как выражались древние, он просто обязан был попасть сегодня на «Доротею», и непременно с ночевкой, потому что приказы не обсуждаются...

Навстречу ему проворно выдвинулся самый настоящий метрдотель — допрежь того Мазур о них только читал, а теперь увидел воочию и сразу понял, что это именно метрдотель: невыносимо вальяжный седовласый субъект в безукоризненном смокинге. Вполне могло оказаться, что фасонная цепь у него на шее не позолоченная, а натурально золотая. «Высоконько мы залетели на этот раз», — подумал Мазур философски.

— Сэр, на чье имя у вас заказан столик? — осведомился субъект с цепью.

Тон был безукоризненно вежливый, но моментально чувствовалось, что порядки тут свои и поперечь отсюда недостойного могут в два счета.

Мазур смущаться не стал. Он посмотрел куда-то сквозь этого персонажа, прежде виденного исключительно в кино, и сказал как мог небрежнее:

— Собственно, столика я не заказывал, меня пригласили... Молодая девушка, блондинка, с яхты «Доротея»...

И подумал рассудочно: «Ну все, сейчас попрет в шею...»

Однако ничего подобного не произошло. Седовласый вдруг неуловимо *помягчел* лицом — хотя его выражение ни капельки не изменилось — и чуть склонил голову:

— Ну разумеется, сэр. Ее светлость меня предупредила. Прошу.

«Как-кая еще светлость? — возопил Мазур мысленно и едва не разинул рот самым простецким образом. — Это с кем мы на сей раз связались?»

— Быть может, вам будет удобнее оставить сумку в гардеробе, сэр?

— Э-э-э, пожалуй, — светски ответил Мазур, малость опомнившись. — Только осторожнее, у меня там стекло, только что купил и не успел отослать...

— Все в порядке, сэр.

К ним, повинуясь жесту седовласого, проворно подбежал еще один тип в смокинге, принял от Мазура сумку и понес в сторону гардероба. Мазур задержался, но никто так и не собрался дать ему номерок — видимо, в заведениях подобного полета обходились без них, надо будет учесть...

И непринужденно направился следом за метрдотелем, стараясь не зыркать по сторонам откровенно, словно какая-нибудь деревенщина с соломой в волосах. Интерьер, насколько он мог разглядеть, названию полностью соответствовал: куда ни глянь, замысловатые мозаики в стиле тех самых то ли ацтеков, то ли май: статуи жутко выглядевших богов и зверей и прочие дурные красивости. С радостью Мазур констатировал, что большинство посетителей одеты вовсе не во фраки и вечерние платья, а довольно-таки простецки, кое-кто совершенно по-пляжному, да и держатся далеко не чопорно. Это уже проще, не надо думать, если что, которой из двадцати вилок устриц распечатывать, а которой в ухе чесать...

Седовласый провел его в дальний угол зала, где на длинном диване в виде прямого угла расположилось человек шесть. Точно шесть. Три эффектных девицы, какой-то мрачный тип при полосатом галстуке, что-то отрешенно жевавший, Гай Близард, снова в шортах и гавайке (разве что другой расцветки, но столь же ядовитых тонов) и, наконец, загадочная блондинка, которую отчего-то титуловали светлостью, восседавшая с краешку — на сей раз, конечно, не в скупом купальнике, а в открытом синем платье. Мазур краем уха слыхивал что-то о таких вот тряпках, которые выглядят просто и буднично, но стоят бешеных денег. У него возникло подозрение, что это как раз тот случай.

Судя по лицам тех двоих, его моментально узнали.

— Черт возьми, кого я вижу! — возопил Близард. — Пришел все-таки? Вот и молодец... слушай, я что-то запамятовал, как тебя...

— Ничего удивительного, я не представился, — сказал Мазур, присаживаясь рядом с блондинкой согласно ее недвусмысленному жесту. — Дик Дикинсон. Странствующий моряк.

Эффектные девицы, уже определенно поддавшие, наперебой принялись выкрикивать свои имена, которые Мазур не особенно и запоминал, а мрачный тип, не переставая жевать, ограничился поклоном. Вряд ли он выпендривался именно перед Мазуром — судя по первым наблюдениям, просто-напросто таким уж уродился нелюдимым.

Без церемоний перегнувшись через колени одной из девиц, Гай сунул ему в руку полный бокал и жизнерадостно поинтересовался:

— Ну что, надумал? Предложение в силе.

— Запросто, — сказал Мазур.

— Вы о чем? — вклинилась блондинка.

— У меня, если ты помнишь, рулевой выпал из игры. Вряд ли Дик окажется хуже, у него вид добропорядочный...

— Ну-ну, — загадочно ухмыльнулась блондинка. — Желаю удачи, ребята. Сама бы сплавала...

— Кристина!— воскликнул Гай совершенно серьезно, молитвенно сложив руки на груди. — Ты же знаешь, на что я готов...

— А шиш тебе, — безмятежно выпалила блондинка.

Ну, предположим, она не «шиш» произнесла без запинки розовыми губками, а нечто гораздо покруче, настолько смачное, что оно нисколечко не вязалось ни с роскошным кабаком, ни с титулом светлости, которым ее отчего-то наградил метрдотель. Однако все приняли это как должное, никто и ухом не повел — должно быть, притерпелись.

Блондинка Кристина протянула руку и указательным пальцем легонько постучала Мазура по нижней челюсти:

— Дик, верни челюсть на место. Неужели я тебя, бедняжку, шокировала? Это странствующего-то моряка? Я в наивности своей полагала, что вам и черт не брат... — И звонко, искренне расхохоталась: — Честное слово, у тебя вид сконфуженный. Ах ты лапочка... Неужели существует еще добродетель?

Мазур постарался придать себе равнодушный вид. Он уже понял, что столкнулся с созданием взбалмошным и своенравным, капризнее некуда — и не конфузился (еще чего не хватало!), просто не мог с ходу выбрать подходящую линию поведения. Нужно было на нее *настроиться*, фигурально выражаясь, поймать ветер...

— Ну, не надувайся. — Кристина положила ему руку на колено. — Я, просто-напросто, очень трудный ребенок. Маму почти не помню, отец воспитанием не занимался, откровенно говоря, все прочие сюсюкали и высоких требований не предъявляли. Вот и получилось чудовище, своенравное и дерзкое... Давай я тебе еще налью, а то робкий ты какой-то, ничуть на моряка не похож — и ходишь не вразвалку, и табаком жевательным не плюешь по углам, и рома не требуешь громогласно, и коленкой ко мне не прижимаешься... — и тут же сама непринужденно прижалась бедром, посмотрела внимательно: — Хорошо хоть, в краску тебя не бросает, иначе не знала бы, что и делать... Ничего, что мы так тесненько сидим? Вот и молодец...

Она была красивая, спасу нет, но Мазур всю сознательную жизнь пребывал в убеждении, что девиц такого типа допрежь всякой лирики следует вдумчиво высечь — не в смысле эротических извращений, а в самом утилитарном. Иногда помогает, но чаще всего — черта лысого...

— Ну так как? — спросила она с любопытством, подливая ему в бокал. — Шокирую я тебя?

— А хочешь?

— Не знаю, — пожала она голыми плечами. — Забавляюсь вот... В тебе, по-моему, есть нечто непорочное, а это занятно...

— Это в морском бродяге-то? — усмехнулся Мазур.

— Дик, у непорочности столько видов, подвидов, разновидностей и категорий, что перечесть нельзя... Бесчисленное множество. Со шлюхами хороводился?

— Да, в общем, было дело...

— Людей убивать приходилось?

— Ну, как тебе сказать...

— Значит, приходилось, — уверенно сказала Кристина. — И спиртное, конечно, лакал до посинения, тут и гадать нечего... И что, ты решил, будто этот кратенький список банальных пороков тебя испортил? Говорю же, у непорочности столько обличий... И чем-то таким от тебя определенно веет, поверь опытной девушке, ужасному невоспитанному созданию...

— Это плохо?

— Наоборот, это ужасно интересно. Обычно ко мне прибивает течением гораздо более примитивных и потому неинтересных индивидуумов. Вроде вот этого, — она показала подбородком на что-то усердно жевавшего угрюмого типа. — Плоский, как сковородка, убила бы... Но приходится улыбаться.

— Почему?

— Отец хочет, чтобы я за него вышла. Я, конечно, и не подумаю, но какое-то время придется терпеть и улыбаться...

— Послушай, ты кто? — напрямую спросил Мазур.

— А ты не знаешь? — прищурилась она как-то вовсе уж загадочно.

— Представления не имею.

— Серьезно?

— Абсолютно.

— Ты вообще откуда?

— Из Австралии.

— Душа отдыхает... — призналась она, мечтательно жмурясь. — А ведь ты, похоже, не врешь... Будто меня не знаешь. Совсем интересно. Я тебя не отпущу, точно. Когда еще выпадет такой случай, феномен этакий...

— Только не говори, что ты английская принцесса, — сказал Мазур. — Я не переживу.

— Почему?

— Потому что ты мне сразу понравилась. А если ты окажешься английской принцессой, меня такая оторопь прошибет, что даже на танец не рискну пригласить...

— Ерунда, — сказала Кристина. — Честно, я не английская принцесса. У них у всех, между прочим, морды лошадиные, так что не надо меня обижать такими предположениями...

«Нет, ну кто? — добросовестно ломал голову Мазур. — Кем она может оказаться, с таким лексикончиком и манерами? Яхта, конечно, роскошная, но и Гай, и эти девицы, которых он беззастенчиво охлопывает всех троих сразу, никак не тянут на аристократов. Да и нет в Штатах никаких „светлостей"... правда, у нее не американский, а европейский акцент... Задачка...»

Как бы там ни было, он все же поймал ветер, чрезвычайно похоже на то. Наладилось непринужденное общение, хотя то и дело себя чувствуешь, словно на минном поле — язычок у нее без костей...

Стараясь сделать это незаметно, он посмотрел влево. Там, за небольшим, как раз на двоих столиком сидел тот *шкаф* с пистолетом под полой, которого Мазур уже видел на «Доротее» — и еще один, почти точная копия. Перед ними стояли всякие тарелки-блюда, но Мазур не заметил на столике ничего спиртного. И пушки, поклясться можно, у обоих при себе. Охрана, а? Считайте меня распоследней сухопутной крысой, если эти двое не хорошо дрессированные охранники: внешний облик, выбранная позиция, откуда великолепно просматривается весь зал, их позы, взгляды, полное отсутствие спиртного... Куда ж это мы попали с нашим калашным рылом на сей раз?!

— Ну вот, а поскольку я не английская принцесса, точно, ты вполне можешь меня позвать танцевать. Без всякой оторопи.

Музыка играла *культурная*, ненавязчивая, совсем непохоже на то, к чему Мазур привык на родине. Он охотно поднялся, прошел следом за ней на открытое пространство, свободное от столиков, положил руки на талию, не чувствуя ни малейшей неловкости — в свое время его в Южной Америке выучили так, что он мог запросто *оторвать* классическое аргентинское танго, подвернись умелая партнерша (исторической точности ради следует уточнить, что преподали ему это умение труженицы провинциального борделя, где Мазур поработал вышибалой из-за очередных сложностей жизни).

А впрочем, окружающие без особых затей топтались в классическом «медляке», и это зрелище столь умилительно напоминало советскую танцплощадку из курсантской юности Мазура, что невольная ностальгия продирала — вот только народец был не в пример респектабельнее, и портвейн по углам не тянули из горла, и рубахи друг другу не рвали...

Они тоже колыхались, не выпадая из общего стиля. Самое время лелеять в себе романтический настрой, но Мазур сейчас, как большую часть жизни, был не человеческим индивидуумом, а чем-то вроде расчетно-наводящей приставки, в данном случае — к содержимому мирно покоившейся в гардеробе спортивной сумки, способному при минимальных манипуляциях обернуться нехилой бомбой. И в таковом качестве озабочен был одним: выгорит, не выгорит? Попадет на «Доротею», не попадет? С этим взбалмошным созданием до сих пор ничего не ясно...

— А ты? — спросила она, уютно прижимаясь щекой к его груди. — Ты-то кто такой?

— Моряк, — сказал Мазур. — Только не тот, что ты думаешь.

— А который? — спросила она, не меняя позы.

Мазур усмехнулся про себя — он наконец-то поймал ветер, и корабль уверенно набирал ход...

— Мы, знаешь ли, шли из Тортуги на Ямайку, — сказал он негромко. — Пошли слухи, что в Европу пойдет испанец с полным трюмом золота. Все было нормально, на дворе стоял тысяча шестьсот восемьдесят второй год от Рождества Христова, и тут — этот туман странный, до костей пробрал, и со звездами что-то непонятное началось... Короче говоря, бросили якорь уже у *вас*. Ну, мы же прошедшие преисподнюю хваткие ребята, мы с ума не сошли и не померли от психологического шока... Баркентину укрыли в надежном месте, одежонку раздобыли соответствующую, с обстановкой освоились, и вот болтаюсь я здесь, и все вокруг мне чрезвычайно странно, хорошо хоть, одно не меняется: девушки все так же красивы и легкомысленны...

Кристина подняла голову и уставилась ему в лицо с непонятым выражением.

— Великолепная история, — сказала она. — Чертовски жаль, что ее с ходу выдумал. Здорово было бы, окажись она настоящая... Но не бывает таких чудес. А я все же толковая девочка — интересного парня заарканила...

— Полагаешь, что заарканила?

Она медленно растянула губы в улыбке:

— А ты все еще полагаешь, что нет?

— Не знаю.

— А тут и знать нечего, тут нужно плыть по течению событий. Между прочим, самый лучший метод... — она гибко извернулась, выскользнув из его объятий, взяла за руку и решительно повлекла в дальний угол зала.

Мазур ловко лавировал среди танцующих, у него возникло смутное предчувствие, что добром тут все не кончится — очень уж целеустремленный был у нее вид, и вообще она не походила на человека с резкими перепадами настроения. Странная девочка, конечно, балованная и чудаковатая — но характерец, сдается, похож на рельс...

Они спустились по ярко освещенной лестнице куда-то определенно ниже уровня земли и оказались в обширнейшем помещении, сверкавшем белоснежным кафелем, чистейшими зеркалами и никелем так, что глаза поначалу резало. Вид тем не менее был насквозь казенный: ряды белейших раковин с кранами цвета золота, а по другую сторону — бесконечная шеренга дверей.

Прежде чем Мазур стал догадываться, куда они угодили, Кристина открыла одну из дверей, затолкнула его внутрь и звонко защелкнула сверкающую задвижку. Тут только он сообразил, что оказался всего-навсего в туалете, к которому, как это на загнивающем Западе водилось, вульгарное название «сортир» никоим образом не подходило. Вообще, стоило ему угодить за границу, тамошние туалеты откровенно начинали угнетать и вызывать какое-то странное уныние — потому что походили скорее на некие научные лаборатории из-за этой вот сияющей чистоты.

Он огляделся. Знакомые приспособления поражали инопланетной ухоженностью — а была еще и масса чего-то незнакомого, не сразу и поймешь, для чего предназначены. В прежних своих *образах* он до столь шикарных гальюнов еще не поднимался.

Кристина, двигаясь совершенно непринужденно, открыла сумочку, выложила на белоснежную полку карманное зеркальце, какой-то футлярчик и самое прозаическое бритвенное лезвие. Деловито вытряхнула на зеркальце щепотку белого порошка, аккуратненько и проворно сбила его лезвием в виде дорожки. Оглянулась на Мазура:

— Тебе, конечно, не предлагаю. У тебя на физиономии написано, что для тебя предел дурмана — коктейль из рома с водкой.

Глядя, как она сноровисто втягивает через трубочку белый порошок сначала правой, потом левой ноздрей, Мазур на сей раз воздержался от мысленной критики буржуазных нравов, потому что занятие это было насквозь бесполезное. Он просто представил рожи пары-тройки знакомых замполитов, если бы они его сейчас узрели — пожалуй, и кондрашка могла бы хватить...

— Ну вот, — сказала Кристина, оборачиваясь к нему. — Жить стало легче, жить стало веселее, как сказал когда-то по другому поводу один жуткий, но головастый деятель...

Ничего в ней особенно не изменилось, разве что зрачки сузились да улыбка стала чуточку отрешенной.

— А это ничего, что мы тут... — сказал Мазур, сделав неопределенный жест.

— Ты марксизмом никогда не интересовался?

— С какого перепугу? — натурально изумился Мазур.

— Зря. По крайней мере, знал бы, что буржуазное общество разлагается и деградирует. Я не марксистка, боже упаси, вот был бы смех!

Просто-напросто люблю теории и учения, которые гласят, что все вокруг деградирует и разлагается — в этом случае не чувствуешь себя уродом или выродком... Короче говоря, голову даю на отсечение, что в половине здешних апартаментов сейчас всаживают себе нечто даже похуже кокаина, и не только этим занимаются. Поверь моему жизненному опыту...

— Пессимистка, — сказал Мазур ради поддержания разговора.

— Да ничего подобного, — широко улыбнулась Кристина. — Всего-то навсего бедная, маленькая, испорченная девчонка в большом испорченно мире... Ну, поговорили? Приличия соблюли? А раз так, расслабься, жертва порочных страстей...

Она уверенно закинула руки Мазуру на шею и прильнула к губам. Оторвалась, прошептала на ухо:

— Может, завопишь колорита ради: «Помогите, насилуют!»

— Не дождешься, — ответил Мазур таким же шепотом. — Зверствуй, порочное создание...

— Это мы мигом, — заверила Кристина, глядя ему в глаза абсолютно невинно.

Глава 12
Собачья вахта на Карибах

Вслед за тем не без грации она опустилась на колени и бесцеремонно цапнула Мазура за пряжку ремня. Пряжка клацнула и послушно расстегнулась.

«Буржуазия», — подумал он с превосходством человека, идейно вооруженного самым передовым в мире учением, но очень быстро все посторонние мысли вылетели из головы, как у всякого нормального мужика, с которым подобным образом вдумчиво и старательно балуется очаровательная девица. А старалась она на совесть, чувствовался опыт и одухотворенность. Вся эта сцена согласно законам оптики отражалась в зеркале, занимавшем всю противоположную стену, и Мазур пытался туда не смотреть, зажмурился, гладя светловолосую головку. Самое передовое учение куда-то улетучилось из головы по причине полной своей ненужности в данной ситуации.

Когда все кончилось, как кончается, к сожалению, все хорошее, она выпрямилась — раскрасневшаяся, самую чуточку, растрепанная, но выглядевшая по-прежнему невинно. Улыбнулась как ни в чем не бывало:

— Судя по блаженной физиономии, на меня подавать в суд за изнасилование не будут?

Мазур нерешительно потянулся к ней — нужно же было ответить добром на добро, но она гибко уклонилась, с извечным женским мастерством моментально привела в порядок волосы и платье.

— Не озабочивайся. Для всего остального совершенно неподходящие условия, никакого комфорта. Поехали на яхту?

Мимоходом оглянулась, привел ли он себя в порядок, и энергично отодвинула задвижку цвета золота. Мазур вышел следом за ней, торопливо отвел глаза от направившейся к освободившемуся апартаменту парочки, но тут же воспрянул духом — судя по виду озабоченной парочки и ее алкогольной кондиции, она намеревалась точно так же использовать помещение не вполне по назначению.

Оказавшись в зале, Мазур увидел, что компания увеличилась более чем вдвое — появились какие-то прилизанные и франтоватые молодые люди, гам стоял коромыслом, отсутствия Мазура и Кристины никто, в общем, и не заметил, разве только Гай покосился с понимающим видом и шутовски подмигнул, что Мазура ничуть не смутило.

Он сел на свое место и взял чистый бокал. К Кристине почтительно подкатился бесшумный, как дух, метрдотель и вполголоса сообщил, что ее просят к телефону. Она ушла, сделав Мазуру успокаивающий жест — мол, пустяки и ненадолго.

Он не́ успел отхлебнуть здешнего дорогущего шампанского — один из восседавших на небольшом отдалении шкафов подошел, навис каменным истуканом и тихонечко бросил:

— Отойдем, поговорим?

— С мордобоем, или как? — усмехнулся Мазур.

— Не дури, мы в приличном заведении...

Мазур встал и отошел с ним на пару метров, заранее продумав, как действовать в случае *обострения*. Правда, обострения следовало избежать любой ценой — чтобы все же попасть на «Доротею» полноправным гостем...

— Кто, откуда, чем промышляем? — спросил мордатый спокойно.

— А это не будет вторжением в частную жизнь? — спросил Мазур тем же светским тоном, твердо намереваясь не нарываться первым и быть пока что образцом джентльмена.

— Не будет. Я ее телохранитель, и я за нее отвечаю.

— Послушай, парень, — сказал Мазур. — Кто она, в конце концов, такая?

— Не знаешь?

— Представления не имею. Мы, австралийцы, люди незатейливые.

— Австралийцы?

— Ага, — сказал Мазур. — Документы в порядке, в розыске никогда не числился, криминальных намерений нет... Ангелочек, короче.

Массивный субъект взирал на него пытливо, так, словно надеялся каким-то чудом обрести дар телепатии.

— Черт тебя знает, конечно... — сказал он задумчиво. — Вроде бы парень как парень, но, с другой стороны, на внешность и первое впечатление лучше не полагаться... Чем промышляем?

— Вульгарно выражаясь, моряк в поисках судна, — сказал Мазур. — С некоторыми средствами, поэтому могу себе позволить не спешить и развеяться. Кладоискатель, бродяга и все такое прочее — но, милостивый сэр, обращаю ваше внимание, все в рамках закона...

— И отлипать от нее не намерен?

— Никоим образом, простите за прямоту, — сказал Мазур. — Очаровательная девчонка, хоть влюбляйся. Разумеется, если вы потащите из-под полы автомат, я уступлю грубой силе... но, честно говоря, не уверен, что это у меня получится...

— Странный ты парень, — проворчал могучий. — По правде говоря, не вполне подходишь под привычные фигуры, с которыми я прежде сталкивался...

— Так в том-то и дело, милейший, — сказал Мазур. — Нет во мне ни двойного дна, ни потаенных замыслов, мне просто чертовски нравится девушка... Или некоторые вещи категорически запрещены, и будете стоять на своем?

Телохранитель поджал губы, не скрывая досады. Нельзя сказать, чтобы он выглядел особенно враждебно, и Мазур приободрился, придав себе самое невинное и беспечное выражение.

— Вообще-то ее не переделаешь, — задумчиво произнес наконец телохранитель. — Черт с тобой, на фоне того, что бывало, ты пока что и впрямь смотришься вполне приемлемо... Но вот что... Я, уж прости, всегда стараюсь свести риск и неприятности к минимуму. Поэтому слушай внимательно, и не говори потом, что тебя не предупреждали... Если за тобой тянется что-то такое... неправедное, или если у тебя есть какие-то *неправильные* задумки — лучше сразу отваливай по-хорошему. Иначе получится скверно. Полицию вмешивать не будем, сами вниз головой наладим в океанские просторы, и, будь уверен, нам это сойдет с рук...

— Откровенность за откровенность, — сказал Мазур. — У меня только одна задумка, и я бы ее не назвал неправильной или неправедной... Усек?

— Ну, смотри, я тебя предупредил...

— Эт-то что такое? — форменным образом рявкнули у него за спиной.

Там стояла Кристина и, сердито подбоченившись правой рукой, старательно пыталась прожечь в своем шкафоподобном оберегателе столько дыр, сколько удастся. Это у нее, конечно, не получилось, но телохранитель заметно стушевался, сделал невинную рожу и проворно вернулся за столик.

— Он на тебя давил? — с ходу спросила Кристина.

— Да ничего подобного, — великодушно сказал Мазур. — Просто-напросто поначалу спутал меня с известным похитителем детей, но тут же выяснилось, что ошибся. Он даже извинился.

— Как меня все это задолбало... Подожди минутку.

Она протолкалась сквозь гомонящую компанию к Гаю и что-то энергично потребовала. Он пытался было возражать, робко и вяло, но ее было не переспорить — и он, вздыхая, протянул девушке ключи от машины.

— Отлично, — сказала она, вернувшись. — Полный вперед!

И потащила его за собой так целеустремленно, что Мазур только метров через двадцать смог сообщить о сумке в гардеробе, которую нужно забрать.

На стоянке она уверенно направилась к белому «порше» с откинутым верхом — Мазур только в журналах видел эту дорогую игрушку, по сравнению с его питерским «жугуленком» смотревшуюся космическим кораблем.

— Ремень пристегни, — сказала Кристина, привычно поворачивая ключ зажигания. — Ей-богу, не помешает...

— А ты?

— Обойдусь. Молния два раза в одном месте не ударяет, как и снаряд в уже имеющуюся воронку...

В ее голосе прозвучала неприкрытая печаль. Мазур мог бы ей сказать, что, согласно его немалому военному опыту, со снарядами все обстоит как раз наоборот, и он однажды своими глазами видел в воронке не то что еще один разрыв, а целых три — причем дело было не на серьезной войне, а так, на мелкой войнушке и в захолустье. Но он смолчал, в своем нынешнем образе ему никак не полагалось иметь такой опыт...

Она так и не пристегнулась. Взревел мотор, визгнули покрышки. Машина задним ходом вылетела со стоянки в лихом «полицейском развороте», лихо обогнула аварийно затормозившее такси, заехав при этом левыми колесами на тротуар, влилась в поток и помчалась, словно на пожар.

Мазура мотало и швыряло то к Кристине, то к дверце. Он уже понял, что водит она отлично — но лихачит на ночной улице сверх всякой меры, обгоняя справа и слева, моментально втискиваясь в образовавшийся меж попутными машинами промежуток — а то и создавая таковой отчаянными виражами, сигналя, включая дальний свет. Они неслись, оставляя за собой неумолчный визг тормозов и отчаянные гудки. Справа вякнула полицейская сирена — но Кристина втоптала газ, немыслимым разворотом *вогнала* «порше» в узенькую боковую улочку, промчалась мимо прохожих, рассыпавшихся и жавшихся к стенам домов с испуганными воплями, попетляла по задворкам-закоулкам, вновь выскочила на широкую освещенную улицу и погнала по ней в том же стиле. У Мазура как сперло в зобу дыханье, так и не отпускало. Он лишь подумал мельком, что погибнуть в такой вот дурацкой ситуации было бы для него крайне унизительно — но выбора нет, приходится положиться на судьбу...

Крутой вираж — и справа объявился спокойный ночной океан со стоящими у длинного пирса судами. Кристина сбросила газ лишь самую чуточку, пронеслась по пирсу, как крылатая ракета, затормозила у роскошного трапа «Доротеи», выключила мотор и с любопытством уставилась на Мазура:

— Что-то ты не особенно бледный, а я так старалась...

— Бывало и похуже, — сказал Мазур, только теперь с невыносимым облегчением осознав, что гонки без правил окончились.

Кристина фыркнула, хлопнула дверцей:

— Пошли. Или тебе, быть может, предварительно нужно побродить под звездным небом, романтично держась за руки?

— А зачем?

— Вот именно, совершенно незачем...

На палубе обнаружился шкаф номер три, бдительно вставший из раскладного кресла. Если его не считать, корабль казался пустым, вымершим, словно «летучий голландец».

— Вольно, — сказала Кристина, проходя мимо. — Остальные скоро прибудут, поскольку, как обычно, от меня километров на пять отстали...

По лицу охранника, ярко освещенному ближайшим фонарем на краю пирса, видно было, что у него есть свое мнение по поводу лихих привычек хозяйки, но он его благоразумно держит при себе...

Мазур спустился следом за девушкой по широкой белоснежной лесенке и оказался в коридоре, сверкавшем полированным деревом и надраенным металлом. Она мимоходом привычно щелкала выключателями, заглядывала в двери:

— Ага, свободно... Бросай сумку сюда, теперь это твоя каюта, ради соблюдения тени светских приличий... Повесь пиджак на стул, чтобы сразу видно было: здесь уже обитают.

Мазур задвинул сумку под узкую, но роскошную койку, с нешуточным сожалением проводив ее взглядом: он предпочел бы вовсе с ней не расставаться, но это было не реально, приходилось рисковать. В голове вновь заработала расчетно-наводящая приставка, он старательно запоминал расположение помещений, переходов, прямо-таки фотографируя мысленно шикарную внутренность судна, поскольку ему это должно было пригодиться в самом скором времени.

Кристина нетерпеливо притопывала каблучком в коридоре, и Мазур вышел, бросив последний тоскливый взгляд на сумку, где в нескольких пакетах покоились самые безобидные по отдельности компоненты, в грамотном сочетании способные натворить нешуточных дел — правда, никто здесь, кроме него, не владел таким искусством. Оставалось надеяться, что пьяная компания задержится в городе надолго, и никто не сунет носа сдуру в его пожитки...

Каюта Кристины оказалась, как и следовало ожидать, побольше и роскошнее, чем однотипные помещеньица для многочисленных гостей — но, в общем, не такие уж хоромы, это была все же яхта, а не личный лайнер.

— Садись. Вон там — бар.

Она сбросила туфли и расположилась в кресле напротив. Мазуру показалось, что она чуточку изменилась, войдя сюда — стала спокойнее и проще, без прежней дурашливости. Какое-то время они сидели, умиротворенно переглядываясь, без малейшей неловкости, потягивая из бокалов.

Параллельно Мазур изучал обстановку — незаметно и зорко, он это умел. Ровным счетом ничего необычного или тревожащего — просто-напросто роскошная каюта, где обитает загадочная девушка, которую всерьез титулуют «вашей светлостью». Красный купальник небрежно болтается на приоткрытой дверце шкафа, стопка журналов, парочка книг, шикарный музыкальный центр...

Потом он увидел фотографию на столике — в скромной, но прекрасной работы серебряной рамочке. Очень красивая женщина с чуточку грустными глазами, судя по некоторым деталям, снимок относится годам к шестидесятым.

В голове у него стала понемногу складываться из отдельных кусочков уже не головоломка, а скорее мозаика — у Мазура были хорошие инструкторы, знавшие свое дело, чтобы притворяться за рубежом зарубежным же человеком, нужно накрепко вызубрить много всяких тамошних реалий, меньше, конечно, чем требуется разведчику-нелегалу, внедряемому на долгое оседание, но тем не менее... Есть вещи, которые обязан знать вдоволь пошатавшийся по свету бродяга — чтобы *ввернуть* где-нибудь для поддержания разговора, правдоподобия для...

— Кто это?

— Мать, — сказала Кристина. — Она погибла. Давно. Ну, это неинтересно, не та тема...

Она отставила бокал, присела на широкий подлокотник Мазурова кресла и требовательно обняла его за шею. Прежде чем притянуть девушку к себе, он успел бросить последний взгляд на чертовски красивую женщину, снятую лет двадцать назад на фоне какой-то роскошной белокаменной лестницы.

Все окончательно встало на свои места, он уже прекрасно знал, с кем так неожиданно ухитрился подружиться. Никак не ребус...

Действительно, самая натуральная принцесса, ваша светлость. Дочка самого взаправдашнего правящего князя, наследница престола, как самая старшая. Престол, правда, не особенно серьезный, в некоторых смыслах опереточный — потому что эту, с позволения сказать, державу можно обойти пешком за четверть часа. Но все же это настоящая европейская страна, пусть и крохотная, прославленная исключительно своими знаменитыми на весь мир игорными домами — и князь настоящий, и наследная принцесса Кристина...

Теперь Мазур уже ничему не удивлялся и не видел никаких странностей в происходящем. Он про нее кое-что читал в тех самых глянцевых журналах — и про позирование для парочки мужских журналов, и про дебют в качестве певицы, и про вольный образ жизни, весьма даже вольный. Принцессам из более обстоятельных, что ли, монархий о такой свободе и таких эскападах и мечтать нечего, а у нее както получалось.

Ну да, все правильно. Она нисколечко не врала — просто-напросто не уточняла иных деталей. Трудный, избалованный ребенок, которого, в принципе, и не воспитывали вовсе. Мать, знаменитая некогда голливудская актриса, разбилась на машине где-то на горной дороге — вот что Кристина имела в виду, когда говорила про молнию и снаряд...

Кристина вдруг отстранилась, заглянула в лицо:

— Что-то не так? Ты на секундочку вдруг *зажался*...

— Поясница, — сказал Мазур непринужденно. — Осьминог когда-то хватил щупальцем, а сейчас повернулся неудачно...

— Ври больше, — фыркнула она, успокоившись. — Ты мне еще про морского змея начни... Расстегни «молнию». Ага, вот здесь.

...Некий хитроумный механизм в голове, какого у нормальных людей не бывает, просигналил, что оттягивать больше нельзя, что самое время.

Мазур, разбив это движение на несколько этапов, высвободился из объятий Кристины, бесшумно устроился в кресле и закурил, пуская дым в приоткрытый иллюминатор, откуда доносилось едва слышное шлепанье невысоких волн и струилась ночная свежесть. На спящего человека не следует смотреть пристально, есть риск разбудить — и он сконцентрировал взгляд на казавшейся сейчас смутным белым пятном фотографии давным-давно разбившейся кинозвезды, слушая спокойное дыхание Кристины. Не походило, что она в ближайшее время собирается проснуться — давно уснула, сон ровный, спокойный, будем надеяться, что это ее обычное состояние. А впрочем, на *дело* уйдет не так уж много времени...

Он выкинул сигарету в иллюминатор, взял стоявшую тут же на столике бутылку и плеснул на волосы щедрую дозу, чтобы от него на километр разило спиртным. Выскользнул в коридор, голый, как Адам. При нужде следует притвориться пьяным до остекленения лунатиком, незнамо куда бредущим по роскошному кораблику — надо думать, вполне обычное для этого кораблика зрелище, житейские будни, никто ничего не заподозрит. К тому же народу на борту маловато: пребывающий где-то в плебейских недрах экипаж, дежурный охранник на палубе... вот, пожалуй, и все, если не считать сладко дрыхнущей Кристины. Хозяин и прочие гости так на «Доротее» и не объявились, развлекаются где-то в городе...

Проскользнув по темным коридорам, как натуральный призрак, он нашел свою каютку, просочился внутрь, обнаружил сумку совершенно нетронутой. Вытащил ее на середину помещеньица и, не теряя времени, принялся за дело, чутко прислушиваясь.

Алюминиевую пудру — неплохо постарался Лаврик, мозоли, должно быть, от напильника заработал — смешиваем с безобидным удобрением для садов-огородов, тщательно перемешиваем деревянной палочкой, добавляем пару горстей порошка, который вам без малейшего удивления продадут в любой аптеке хоть пару мешков, снова перемешиваем, столь же тщательно, до однородной массы, теперь можно уже и руками, горстью, пальцами, потому что с добавлением третьего компонента к ладоням больше не липнет, выливаем две бутылочки аптечной жидкости, употребляемой нормальными людьми в самых что ни на есть мирных житейских целях, прилежно месим, как тесто, только в сто раз старательнее, чем гражданская повариха, потому что цели у нас несравненно более важные, чем у любой кухарки... Вот так. Терпенье и труд все перетрут. Получился ком величиной самую чуточку поменьше футбольного мяча, опять-таки к рукам не липнет, потому что пропорции выдержаны идеально, ай да мы... Запихать его в двойной, прочный пластиковый пакет...

А вот теперь начинается самое ювелирное, сложное, опасное. Ошибешься — в клочья разнесет вместе с каютой или сработает прежде времени, и громыхнешь в воде, опять-таки в кусочки разлетевшись на радость водяной живности...

Крохотную ампулу — хорошо еще, без тонюсенькой шейки — старательно обмазать вязкой субстанцией, упаковать в пластиковый мешочек, завязать... Опустить его в другой, наполненный темной жидкостью с резким запахом, завязать и этот. И — в третий его, наполненный порошком...

По лбу, по шее, по спине ползли дорожки крупного пота — все мы люди, все человеки, напряжение нешуточное, а мастерить приходится в темноте, на ощупь...

Ну вот и порядок. Готов сюрприз. Точно известно, за сколько времени порошок разъест пластик, а потом, смешавшись с жидкостью — второй мешочек, за сколько эта адская смесь покончит со стеклом ампулы, а потом... А потом не будет никакого «потом», будет взрыв. Для каждого этапа есть, разумеется, временной допуск, но и он достаточно хорошо известен — точка зрения пессимиста, точка зрения оптимиста, все учтено...

И засиживаться больше нельзя. Процесс пошел, остановить его практически невозможно, разве только выдрать взрыватель из тестообразного шара и выкинуть в море — но мы же не для этого старались...

Мазур взял в зубы тяжелый пластиковый пакет с необходимыми причиндалами, подхватил второй, гораздо объемистее и тяжелее с бомбой, внутри которой уже вовсю шел процесс (не столь уж и головоломный, любой студент средних способностей начертит полдюжины формул), выдвинулся в коридор и, не производя босыми ногами ни малейшего шума, направился к выходу на палубу.

Время настало самое подходящее — та скверная пора незадолго до рассвета, что именуется моряками «собачьей вахтой». Ночь уже на исходе, а утро еще не наступило, у любого, самого прилежного и бдительного часового поневоле слипаются глаза, и в сон клонит со страшной силой, он, как ни бдит, впадает в некое чуточку измененное состояние сознания. И люди понимающие именно это веселое время стараются использовать к своей выгоде. Обычно, знаете ли, как раз и получается...

Палуба. Тишина и сырая свежесть, волны чуточку пошлепывают о борт. Замерев в проеме, сгорбившись, Мазур обернулся на какое-то время живым подобием локатора — включились чувства, каких у обычных людей не бывает, а бывают они лишь у моральных уродов вроде него, не имеющих никакого отношения к тому, что считается нормой...

Сколько бы раз это с ним ни случалось, он никогда не понимал, *что* чувствует и *как*. И никто не понимал, никто не мог потом описать словами, хоть сам Верховный Главнокомандующий прикажи.

Часовой — он же вахтенный, он же телохранитель — на посту все же наличествует, но он, докладывают обостренные чувства, подремывает в шезлонге у трапа, ага, посапывание слышится, спокойно ему, комфортно, ничего ведь так и не произошло за все время стоянки у пирса...

Пригибаясь, чтобы оказаться ниже иллюминаторов надстройки — ни в одном не горел свет, но таков уж был рефлекс — Мазур означенную надстройку миновал, все так же скрючившись, пробежал к корме, положил ношу на чистейшую палубу, привязал к перилам светлый нейлоновый канатик, специально выбранный под цвет борта прилежным Лавриком. Выбросил бухточку за борт, обеспечив себе быстрое и комфортное возвращение домой. Подхватил пакет, покрепче стиснул зубы, зажимая второй — и выпрыгнув за борт, полетел навстречу темной воде, на которой еще слабенько искрились колышущие отражения бледнеющих звезд.

Погрузился без малейшего всплеска, его этому неплохо научили. Вода сомкнулась над головой, сильным рывком ног Мазур на секунду оказался на поверхности, глотнул воздуха под самую завязку, чтобы хватило на весь путь — и, загребая левой рукой да обеими ногами, уверенно двинулся к цели, держась примерно в метре от поверхности.

Морской живности округ не ощущалось — дрыхла, надо полагать, беззаботно. Время от времени лица и тела неприятно касался разнообразный плавающий мусор — любой порт в этом отношении ничуть не лучше прозаической помойки, у самого берега и вода омерзительная на вкус, если ненароком случится глотнуть, и болтается в ней столько всякой гадости...

Он привычно скользил в полутьме, ни на что не боясь наткнуться — глубина, точно известно, у самого берега приличная, что сейчас только на руку. Своя ноша не тянет — и оба пакета его не особенно и удручали, благо возвращаться придется совершенно налегке, оставив подарок в гостях. Такие уж мы воспитанные ребята, коли в гости — непременно с подарком...

Мазур поднялся чуть повыше, почти касаясь теперь затылком колышущейся, неуловимой *кромки*, отделявшей воду от воздуха. Темнота впереди характерным образом сгустилась, и он понял, что достиг цели. Перед ним был борт «Виктории».

Медленно, осторожно, чутко он поднялся над водой так, что она достигала подбородка, прижав ладонь к шероховатым, скользким доскам обшивки, прислушался к окружающему.

Вокруг простиралась совершеннейшая тишина, даже из недалекого города не доносилось ни звука — полное впечатление, что он оглох в одночасье, что, разумеется, никак не соответствовало реальности: едва слышно плескалась вода, справа резко крикнула какая-то здешняя ночная птица, а еще...

Ага! У себя над головой, гораздо левее, Мазур, напрягая слух, все же расслышал тихие шаги — кто-то, судя по звукам, неторопливо прохаживался по палубе на некотором расстоянии от планшира. Часовой, разумеется. Гораздо более ответственно относившийся к своим обязанностям, чем телохранитель на «Доротее». Оно и понятно: у этих, на шхуне, задача была гораздо более сложная и серьезная.

Вот только Бешеный Майк и те ребятки, которых он обычно нанимал, достоверно известно, от подводного плавания в любых его видах были далеки примерно так же, как от ядерной физики. Типичные сухопутчики, подумал Мазур с ноткой кастовой спеси. Самое большее, на что способны — на моторках налеты устраивать. Ручаться можно, там, за пахнущими прелой сыростью досками, нет сейчас ни одного индивидуума, знающего на опыте, что такое морской комплекс противодиверсионных мероприятий. В их профессиональном опыте имеется зияющая дырища. И прекрасно.

Ну что же, некогда прохлаждаться, время не ждет, и в увесистом мешке, ощутимо тянущем пловца ко дну, уже вовсю идут незатейливые, но смертельно опасные химические реакции...

Столь же бесшумно, как проделывал все прежде, Мазур поплыл вдоль борта к корме. Остановился. Вода по-прежнему достигала подбородка, вокруг самую чуточку посветлело, шаги часового на палубе слышались гораздо тише.

Работка была нелегкая, но ему случалось проделывать штуки и почище... В пакете, который он зажимал зубами, словно собака поноску, нашлось абсолютно все необходимое. Главное, не производить ни малейшего шума...

Если разобраться, не столь уж сложная задача для тренированного народного умельца. Всего и следовало, что прикрепить этакую авоську из прочного канатика, в которой покоился пакет с бомбой, к борту — двумя дюжинами длинных, острейших шурупов с удобной головкой, большой и плоской, пересеченной глубокой поперечной щелью. Как ни поноси западный мир, но есть у него одно, между нами, достоинство: располагая деньгами, можно в два счета раздобыть именно то, что тебе в данный момент необходимо...

Мазур трудился, как автомат. Он подозревал, что по лицу у него течет пот, но, сидя в воде по уши, нельзя в этом быть абсолютно уверенным. Ага, глаза защипало — точно, пот...

Все приходилось делать на ощупь — и в темпе, в темпе, поджимает времечко... И не производя ни малейшего шума.

А в общем, ничего неподъемного, какие там подвиги Геракла. Шурупы под напором отвертки входили в старые, трухлявые доски легко, как алкоголик в пивную, вот уже можно отпустить бомбу, она надежно повисла на борту, оставшиеся шурупы загонять гораздо проще...

Все! Мазур попробовал руками. Бомба встала на место так надежно, словно ее сюда присобачили еще на верфи. Он не зря установил ее в корме: так к пробоине будет гораздо труднее подобраться, а то и вовсе невозможно, потому что в корме — двигатель, баки с горючим, вал винта. Дизельное топливо вряд ли рванет, на такие последствия бомба не рассчитана, но все равно, пробоина получится знатная, никто ничего не успеет и не сможет предпринять...

Мазур разжал пальцы — и пакет с инструментами ушел на дно, добавившись к тому хламу, которого немало накопилось за время мореплавания. Свалка, должно быть, грандиознейшая...

Набрав полную грудь воздуха, он погрузился. Обратный путь преодолел вовсе уж в рекордном темпе, на сей раз его никакая поклажа не отягощала. И по канатику он взлетел на палубу, что твоя мартышка по пальме. Дернул узел, тот мгновенно развязался, и прикрепленная к свободному концу металлическая гирька проворно утянула канатик на дно. Улик не осталось ни малейших.

Скрючившись, он вновь пробежал под иллюминаторами надстройки — телохранитель дремал, обормот — бесшумной тенью просквозил по коридору, в своей каюте заранее брошенным на койку полотенцем обтерся вмиг. Еще один коридор. Дверь притворилась без малейшего скрипа...

Услышав шевеление в постели, он побыстрее плюхнулся в кресло, чиркнул зажигалкой и безмятежно выпустил дым. Расслабился каждой клеточкой, наконец-то избавившись от сумасшедшего напряжения тела и сознания.

— Ты где? – сонно спросила Кристина.

— Здесь, — преспокойно ответил Мазур.

— А что там делаешь?

— Курю.

— Деликатности какие, иди сюда...

Мазур забрался с сигаретой в постель, где к нему тотчас же прильнули самым нежным образом. Кристина тут же приподнялась, уже окончательно проснувшись:

— Что с тобой?

— Ничего, — сказал Мазур. — Совершенно.

— Как же ничего, когда ты холодный... —

она прижалась щекой к его груди, явно пробы ради, подняла голову, протянула чуть одурманенным со сна голосом: — Точно, холодный...

Глазастая, с неудовольствием подумал Мазур. Побыстрее натянул на себя одеяло, чтобы принять температуру окружающей среды, обнял девушку за шею и преспокойно сказал:

— Ты знаешь, со мной к утру всегда так. Я ж мертвец, если честно. Меня тут при абордаже пристукнули двести пятьдесят лет назад, с тех пор на дне и валяюсь. А иногда выхожу на бережок, чтобы повеселиться, девчонку неосторожную утащить. На дно, мне ж там скучно одному, спасу нет... Готовься, сейчас я тебя в иллюминатор протолкну — и пойдем на дно...

Она зевнула, потянулась и без всякого страха прижалась к нему покрепче:

— Вот за что ты мне нравишься, так это за умение без малейшей подготовки рассказывать сказки... Как ни ломаю голову, никак не пойму, кто ты такой.

— Я же говорил.

— Верю. И все равно... Понимаешь ли, есть в тебе что-то решительно мне непонятное. Все вроде бы на месте, все правильно — и тем не менее полное впечатление, что ты в окружающий мир не вполне вписываешься. Ты откуда-то не отсюда.

— Ага, — сказал насторожившийся Мазур. — Я тебе, так и быть, открою последнюю, страшную тайну. До сих пор были сказки, а теперь — доподлинная правда. Я — инопланетянин. Веришь?

— Ни капли, — сказала Кристина лениво. — И все равно, хотя я и не могу описать свои ощущения, они присутствуют... Я не понимаю, как это назвать и описать, но ты, положительно, не отсюда. Есть окружающий мир, а есть ты. Есть окружающий мир, а есть еще человек, который словно бы — не его часть... Черт, не могу я это объяснить, но душой чувствую...

Мазуру это направление беседы крайне не понравилось. Не зря говорят, что женщина даст сто очков вперед любому контрразведчику. Самое смешное, что она совершенно точно проникла в суть дела — хотя и не поняла, в чем загадка, будем надеяться, и не поймет — с чего бы вдруг ей догадаться? А вообще, в тех самых журналах про ее покойную мать писали, что она была то ли телепаткой, то ли провидицей, чем-то таким обладала...

— Вот это меня в тебе и привлекло, если честно, — сказала Кристина. – Стоит самый обыкновенный парень, но с окружающей реальностью категорически не совмещается...

— Хочешь знать мое мнение? По-моему, не нужно было мешать шампанское с кокаином, да и вообще следовало бы поменьше этой дряни пользовать...

— Моралист?

— Нет, просто мы, в Австралии, ребята старомодные...

Он помаленьку начинал чувствовать растущее профессиональное возбуждение — по всем прикидкам, подступал срок, пора было этой невообразимой каше из химикатов проесть пластиковую ампулку...

— А может, ты еще и проповедник? — со смешком поинтересовалась Кристина.

— Бог миловал, — искренне сказал Мазур.

— Ну, хорошо хоть ничего не имеешь, святоша, против плотских радостей...

Ее рука с неприкрытым намеком стала озорничать под одеялом. Мазур даже расслабиться не успел — тут-то и *сработало*.

Грохнуло на совесть, от души громыхнуло, иллюминатор, даром что выходил на противоположную от «Виктории» сторону, озарился ярким, мгновенным, зловещим, честное слово, сиянием, а в следующий миг Мазур безошибочно определил по донесшимся звукам, что это рушится высоко взлетевший столб воды — бомба взорвалась примерно в метре под поверхностью...

Настала относительная тишина. Совсем рядом Мазур увидел в рассветном полумраке расширившиеся глаза Кристины.

— Война? — прошептала она. — Это где-то рядом...

Снаружи послышались крики и топот. Кристина выскочила из постели, подхватила халатик и, влезая в него на ходу, кинулась в коридор, влекомая, должно быть, уже не страхом, а могучим инстинктом любопытства. Запрыгнув в трусы и прихватив рубашку, Мазур направился следом чуть медленнее — как-никак имел полное право, ни в чем не будучи заподозренным, полюбоваться делом рук своих.

Все три телохранителя торчали у борта — часовой одет полностью, а остальные двое примерно в том же виде, что и Мазур, совершенно по-домашнему. Но пушки все трое держали наготове.

Кристина вцепилась в его локоть. Совсем рядом, метрах в двадцати, тонула «Виктория». Пожар на ней так вроде бы и не вспыхнул — не видно пламени, и дым ниоткуда не валит — но она на глазах опускалась кормой в воду, медленно, однако неотвратимо. На ее палубе, прекрасно различимые на фоне посеревшего рассветного неба, метались люди, перекликаясь, как удалось расслышать, на нескольких языках сразу. Судя по голосам, кто-то один — скорее всего, Бешеный Майк — пытался распоряжаться, но вряд ли ему удалось бы сейчас отдать нужные команды. Ну что тут можно придумать, кроме «Спасайся, кто может!» Вряд ли на «Виктории» найдутся нужные причиндалы — и уж наверняка никто из мечущихся там прохвостов не сумеет грамотно завести пластырь на пробоину. Да и пробоина такая, что подручными средствами с ней не справишься.

Корма оседала все глубже, шумно плескала вода, на поверхность, громко лопаясь, взлетали громадные бульбы выходящего в пробоину воздуха. Беготня на палубе тонущего кораблика становилась из хаотичной гораздо более упорядоченной — несмотря на окрики Майка, его подчиненные драпали на нос в едином порыве, перепрыгивали на пирс.

Над головой у них, в рубке, послышалась беготня, там вспыхнул свет, где-то внизу послышался мягкий рокот мотора. Один из телохранителей затопотал туда, вопя, что нужно на всякий случай уводить «Доротею» к чертовой матери подальше, пока еще что-нибудь не рвануло. Он взлетел в рубку, напоследок крикнув что-то о несомненных террористах.

Вскоре из рубки проворно ссыпался на палубу матрос, бросился к кнехту и принялся проворно распутывать швартовочный трос. За кормой уже бурлила вода. «Доротея» стала отваливать от пирса, сходу разворачиваясь носом в открытое море.

Мазур еще успел во всех деталях рассмотреть, как злосчастная «Виктория» уже поднялась над морем под углом чуть ли не в сорок пять градусов — корма полностью под водой, с вибрирующим звоном лопнул, к чертовой матери, швартов, последние перепрыгнули на пирс и стоят там кучкой, оторопело таращась, как погружается шхуна со всем добром на борту. Слышались яростные семиэтажные ругательства на разных языках.

Кристина так и стояла молча, крепко сжимая его руку — а Мазур подумал не без законного самодовольства, что справился отлично, знай наших. Оружие и боеприпасы, можно считать, уже на дне морском. Положение Бешеного Майка осложнилось самым трагическим образом — и винить в происшедшем он, без сомнения, будет наглючих местных бандитов, ни с того ни с сего возведших на него напраслину касаемо торговли наркотой. Много времени пройдет, прежде чем забрезжит истина. Судьба переворота — под большим вопросом. Его как минимум придется отложить, а тем временем многое может случиться...

И еще он подумал, что пора уносить отсюда ноги, как с самого начала предусмотрено. Делать тут больше решительно нечего.

Кристина прижалась к нему, вздрагивая то ли от утренней прохлады, то ли от запоздалого страха. Мазур заботливо обнял ее покрепче, но она уже была чуточку нереальной, отодвигалась куда-то невозвратно, как обычно с его прошлым и бывало. Ощутив прилив мимолетной симпатии — славная девочка, в общем — Мазур постарался побыстрее его подавить: у него в этом отношении был большой опыт, и многое получалось едва ли не само собой. И все же эта симпатия и легкая жалость были чем-то новым, чтоб им провалиться...

Глава 13
Будни кинематографа, взгляд изнутри

Настроение у Мазура отчего-то было сквернее некуда.

Так иногда случается: без всяких поводов и причин, ни с того ни с сего накатывает неприятная смесь уныния и злости, и отделаться от нее никак не удается. И на стену не лезешь, и особо не переживаешь, просто-напросто впадаешь в некое спокойное, устойчивое отвращение ко всему на свете.

А поводов не было, вроде бы. Лазурный небосвод радовал взор идеальной синевой, сверкало море мириадами солнечных искорок и большой белый катер под названием «Альбатрос», у руля которого стоял Мазур, скользил себе по океанской глади, подчиняясь малейшему движению руки. И управлять этой посудиной оказалось проще некуда — минимум рычагов и кнопка, никакого моториста, Мазур особых усилий и не затрачивал.

Одним словом, все прекрасно, спокойно и безоблачно. А вот поди ж ты, на душе смурно, и все тут. Он решил поначалу, что это очередное дурное предчувствие — бывало в его профессии, чуял заранее — но скоро вынужден был признать, что ничем подобным тут и не пахнет. Просто хандра.

А так — все сложилось великолепно. Завтра наверняка предстоит вернуться во Флоренсвилль, куда уже *сдернул* Лаврик, как всегда в таких случаях и бывает (они, сговорившись предварительно, должны были сматываться из того места, где крупно нашалили, поодиночке, разными дорогами). Благо было кому понаблюдать украдкой со стороны, что станет делать дальше неожиданно лишившийся всего своего добра Бешеный Майк.

Так что совершенно права была взбалмошная принцесса, хоть и сама того не знала — рассеянно поцеловав его на прощанье, она посмотрела пристально и сказала с непонятным выражением лица:

— У меня такое чувство, что больше мы не увидимся...

Мазур, конечно, ухмыльнулся беззаботно и сказал, что все это глупости — но про себя-то прокомментировал: так оно и обстоит, в точку, то ли от матери ей и в самом деле достались непризнанные официальной наукой способности, то ли просто женское чутье...

Пожалуй, все дело было в принцессе. Совершенно непонятно отчего он начал хандрить из-за нее — нельзя сказать, чтобы особенно зацепила, сквозь все его фальшивые жизни *просквозила* масса людей, с иными из которых связывали эмоции и посильнее, он прекрасно умел выкидывать прошлое из памяти. И все равно...

Это *точка*, подумал он. Нечто похожее в свое время подробно развивал доктор Лымарь: бывает, мол, в жизни точка, когда любой пустяк вышибает из колеи, потому что подошла пора захандрить. И никуда не денешься, этим всего-навсего надо переболеть, не придавая особенного значения.

Доктору все же было полегче — хотя бы оттого, что, когда на него накатила его собственная *точка*, как нельзя более кстати случилась та заварушка в далекой знойной Африке, и они всей оравой принялись пресекать происки, крушить и разносить вдребезги. Нет лучшего лекарства от хандры, кроме как побегать с ручным пулеметом посреди хорошей заварушки, когда по улице несутся броневики, паля из всего бортового, горят дома, бухают разрывы, в панике разбегается президентская гвардия, и нужно в сжатые сроки эту поганую ситуацию переломить самым решительным образом. Какая тут хандра...

А у него все обстояло мирно и благолепно. Стоял в чистенькой рубке, сверкавшей никелем и белой пластмассой, крутил штурвал и следил за немудреными приборами. В качестве капитана корабля ему даже ни разу не пришлось ни на кого рявкнуть. Порядок на борту царил безукоризненный. Мазур, сначала увидев, что на суденышко грузится та самая компания, с которой Гай в вволю оттянулся в «Ацтекской принцессе», решил, что веселье и в море продолжится на полную катушку уже в открытом море. И с садистским предвкушением приготовился при первой возможности навести дисциплину: коли уж наняли капитаном, извольте слушаться...

Однако получилось наоборот. Народ выглядел слегка удрученным после вчерашнего, но никто не делал попыток не то что пуститься в разгул, но даже и чуток опохмелиться, хотя видно, что всем этого хотелось. Сидели себе смирнехонько кто на палубе, кто в салоне, покуривали и попивали прохладительные.

Мазур уже совершенно точно убедился, что такое положение не само собой сложилось — безукоризненный порядок на борту быстренько навел режиссер. Вульгарный тип, чертовски легкомысленный на вид, но дисциплину, как выяснилось, поддерживать умел, что Мазуру понравилось. Никакой тебе богемы, верится, что плывут работать...

На призрачно-зеленоватом круге радара возникла белесая ломаная линия — впереди был остров, судя по карте, тот самый, к которому они и стремились. Переложив штурвал чуть вправо, Мазур подумал: это все из-за того, что она принцесса. Душа подсознательно просила сказки на старинный манер. Увы, в реальности принцессы, как выяснилось, нюхают порошочек, употребляют боцманские словечки и черт-те что вытворяют в туалетах дорогих кабаков. Двадцатый век, какие там сказки... И непременно нужно уточнить, что сам он в сказочные персонажи не годится нисколечко, а потому не стоит сетовать на то, что принцесса не вполне правильная...

В рубку на цыпочках вошел Гай, с уважением покосился на браво манипулировавшего штурвалом Мазура и присел в уголке. Мазур и ухом не повел. Как-никак судно гражданское, владелец, он же суперкарго, имеет право присутствовать всюду...

Он стоял, положив ладони на белоснежный обруч штурвала, громко нудил себе под нос:

— It was in sweet Senegal that my foes did me enthrall
For the Lands of Virginia, ginia,
Torn from that Lovely shore, and must never see it more
and alas! I am weary, weary, o...*

---

* В милом знойном Сенегале
в плен враги меня забрали
и отправили сюда за море синее.
И тоскую я вдали
от родной своей земли
на плантациях Вирджинии, Джинии...

— Это что, ваша австралийская? — поинтересовался Гай.

— Ага, — сказал Мазур. — Классическая австралийская баллада...* Подходим, хозяин. До острова километров десять, вон уже и виднеется нечто зеленое, что может оказаться только островом...

На горизонте над лазурным морем мало-помалу поднималась протяженная зеленая полоса — необитаемый остров, но отнюдь не крохотный. Мазур уже видел высокие скалы, покрытые сплошным ковром буйной растительности — меж ними виднелись проплешины темного камня — неизменные пальмы в низине, широкую полосу бледно-желтого песка.

— Что дальше? — спросил он, не оборачиваясь.

Гай встал рядом с ним, уверенно показал рукой:

— Вдоль берега плыви, пока не увидишь крепость и хибару...

— Откуда здесь крепость? — удивился Мазур.

— А вот...

Через несколько минут и впрямь показалась крепость — солидных размеров серое сооружение из больших серых камней, с двумя башня-

* «Плач раба» шотландского поэта Р. Бернса.

ми, зубцами по гребню стены и развевавшимся на высоком шесте желто-красным флагом. Что-то с ней было решительно не в порядке.

Мазур очень быстро догадался. Крепость стояла *нелепо* — прямо на широком песчаном пляже, на полпути меж белой кромкой прибоя и высоченными скалами. Она ничего не защищала, не прикрывала, не имела абсолютно никакого военного значения, ее даже никто не взялся бы осаждать — на кой черт?

Гай ухмылялся с гордым видом, и до Мазура дошло.

— Тьфу ты, — сказал он. — Так это декорация?

— Ага. Доподлинная. На триста баков картона и фанеры... но убедительно, а? Денек простоит, а больше и не надо...

Кораблик продвинулся дальше, и теперь Мазур видел, что нет никакой крепости, а есть лишь две стены из четырех, укрепленные множеством подпорок, а вся изнанка — в планках и брусках. Метрах в ста от бутафории стояла хлипкая лачуга, скорее просто навес, и там сидели люди, а у берега стояло белое суденышко, покороче «Альбатроса» на добрую треть.

Увидев их, люди под навесом оживились, повалили оттуда к воде всей гурьбой. Судя по эхолоту, глубина была подходящая, и Мазур аккуратно подвел «Альбатрос» к тому суденышку; нос катера стукнулся в песок. Мазур выключил мотор.

Гай проворно выбежал из рубки, и Мазур слышал, как он орет:

— Шевелись, дорогие мои, шевелись! Время — деньги!

Отжав вниз рукоятку с белым пластмассовым шаром на конце, Мазур отдал якорь. Спустился из рубки, без особых усилий перекинул через борт легонький трап в виде доски с набитыми поперечинами и перильцами с одной стороны. На этом его обязанности, пожалуй, были исчерпаны. Больше вроде бы и нечем заниматься, пока кораблик стоит у берега. Он с деловым видом встал у трапа, сложив руки на груди, и смотрел, как народ спускается на песок. Подумав, шлепнул по заду одну из актрисочек, чтобы не выходить из образа морского волка. Девица добросовестно завизжала и ничуть не обиделась.

На палубе остался один Гай. Мазур спросил:

— Ну что, босс, какие будут распоряжения?

— Распоряжения? — рассеянно переспросил Гай, мыслями уже явно всецело погруженный в работу. — А какие, к черту, распоряжения. Сейчас начнем снимать... Ты вот что, смотри, сколько хочешь и мотай на ус, а потом поговорим. Есть тут одна идейка, чует мое сердце, для всех выгодная... Отдыхай, короче. Только без спиртного, знаешь ли.

— На службе не пью, — сухо сказал Мазур.

— Вот и ладненько...

Гай проворно сбежал по трапу, балансируя обеими руками. Засуетился на берегу, размашистыми жестами сопровождая ценные указания с видом полководца, намеренного выиграть какую-нибудь чертовски важную битву. Вся эта суета результаты принесла мгновенно — киношный народ послушно взялся за дело. Одни переодевались за установленными в трех местах пластиковыми щитами, другие извлекали кинокамеры, третьи тоже что-то делали, непонятное пока. Мазуру было не на шутку интересно: в гуще киносъемок он еще не бывал. Он принес себе из холодильника-бара несколько банок кока-колы и расположился на палубе со всеми удобствами.

К его легкому разочарованию, камеры, обе, казались довольно маленькими и без штативов, гораздо миниатюрнее тех громад, что он видел в каком-то кино. Ни рельсов с тележками, ни микрофонов, вообще — минимум техники.

Ага, началось. Один из операторов нацелился объективом на бутафорскую крепость — с той точки, конечно, откуда она смотрелась как настоящая. К нему шустро подбежали два субъекта со сковородками на длинных ручках, принялись их совать чуть ли не в объектив. В одной горело яркое бездымное пламя — похоже, бензинчику плеснули — из второй валили клубы дыма. Гай бегал рядом, кричал и махал руками, добиваясь некоего идеала. Дело ясное: зритель на экране сковородок не увидит, зато ему будет казаться, что крепость окутана нешуточным пожарищем. Вот, значит, как это делается.

Дурят нашего брата, подумал Мазур философски, откупоривая приятно холодившую ладонь банку. За эту обманку мы, получается, денежки и выкладываем. Видывал подобное не раз, а теперь смотреть киношные пожары будет скучно...

Гай заорал что-то вроде: «Пошли пираты, мать вашу!»

Субъекты со сковородками проворно смылись из-под прицела камеры. Слева объявилась одна из девиц, загорелая блондинка с потрясающим бюстом, облаченная в синюю юбку до пят и белую блузочку, открывавшую плечи и большую часть помянутого бюста. Припустила по песку, то и дело оглядываясь с ужасом и визжа так, что даже у находившегося в отдалении Мазура уши заныли. Гай завопил, чтобы звук сделала потише.

— Спотыкайся, пора!

Она добросовестно споткнулась — и растянулась на песке... Получилось довольно натурально. Тут и погоня объявилась — два несомненных флибустьера в длиннополых кафтанах на голое тело и с кривыми широченными саблями наголо. Один был с классической черной повязкой на глазу, другой щеголял в ботфортах с огромными шпорами, что, в общем, ни к селу ни к городу — на кой черт морскому разбойнику шпоры?

Они добежали до распростертой на песке в трогательной позе девицы, картинно воткнули сабли в песок, подняли за руки упиравшуюся беглянку и без лишних церемоний принялись стягивать с нее блузку — неторопливо, картинно, определенно работая на внешний эффект. В жизни, надо полагать, и пираты былых времен избавляли добычу от одежды гораздо быстрее и не так фасонно.

Гай суетился рядом, вполне профессионально держась так, чтобы ненароком не влезть в кадр, орал и махал руками. У Мазура тем временем стали зарождаться нешуточные подозрения касаемо рождавшегося на его глазах шедевра кинематографии. Если это и будет шедевр, то в весьма специфическом жанре...

Очень быстро его подозрения подтвердились полностью. Вслед за блузкой блондинку столь же картинно избавили и от юбки. Оказалось, что под этим нарядом на ней имеется черное кружевное бельишко, абсолютно неуместное во времена флибустьеров и их сомнительных подвигов.

Ее и от белья избавили, а потом на полном серьезе, без всякого имитаторства принялись вдумчиво и обстоятельно пользовать в два смычка. Гай и тут ухитрялся давать какие-то ценные указания, неслышные Мазуру на его наблюдательном пункте.

Мазур почувствовал, что у него уши заалели. Свидетелем подобного зрелища он при всем своем жизненном опыте еще не оказывался. В южноамериканском борделе и то обстояло пристойнее — там все происходило по нумерам и без лишних свидетелей. Почувствовав себя неопытной гимназисткой, он отвернулся, но тут же подумал, что выпадать из роли не следует. Любой нормальный австралийский парняга таращился бы, распахнув глаза до хруста. Приходилось посматривать. Остальные подобной щепетильностью не страдали — толпились вокруг съемочной площадки, некоторые, судя по их старинным костюмам, ожидали своей очереди вступить в кадр, а троица на песке как ни в чем не бывало старалась так, словно не было ни камеры, ни зрителей, и этак, и всяко, и вовсе уж замысловато. Скорее всего, настоящим флибустьерам прошедших веков иные заковыристые переплетения и в голову не приходили.

Вот это так попал, подумал Мазур, поперхнувшись ледяной кока-колой после того, как узрел под палящим солнцем вовсе уж экзотическую позицию. Вот это так гримасы капитализма... Ладно, в конце концов, его лично никто в этом не заставлял участвовать, так что придется перетерпеть. Могло оказаться и хуже — контрабанда, наркотики, гангстеры какие-нибудь. На фоне того, в чем он участвовал — форменная детская забава, игра в песочнице...

Композиция постепенно усложнялась. К кувыркавшейся под прицелом двух кинокамер троице присоединялись, послушно следуя рыканью Гая и его наполеоновским жестам, новые участники, одетые в том же стиле, быстренько избавляли друг друга от незатейливых шмоток и разворачивали групповуху во всей красе. Их там уже было столько, и переплетения вкупе с позициями составили столь впечатляющую кучу-малу, что у Мазура даже стыдобушка прошла, осталось чистой воды любопытство, сродни азарту футбольного болельщика: ну-ка, какие финты нам еще тут покажут? Ух ты, эх ты, это ж надо...

А потом перезаряжали камеры. Потом Гай разогнал массовку, осталась только блондинка, выглядевшая так непринужденно и обыденно, словно забыла волшебным образом, что совсем недавно опрометью убегала от страшных пиратов. К ней присоединилась столь же щедро одаренная природой брюнетка, судя по кафтану на голое тело и внушительному набору пистолетов за поясом — полноправная флибустьерша, и напоследок они вдвоем отчебучили перед камерой такое, что хоть святых вон выноси.

На этом творческий процесс закончился. Все отправились переодеваться, операторы паковали камеры, все до единого держались совершенно естественно, словно только что отсняли не порнуху, а документальный фильм из будней птицефабрики.

Если прикинуть, полезный жизненный опыт, подумал Мазур. Будет о чем порассказать в кругу людей посвященных. Что-то он никогда прежде не слышал, чтобы кому-то из коллег удавалось поприсутствовать на съемках западной порнографии. Разумеется с оглядочкой придется делиться впечатлениями, попадется бдительный товарищ из числа надзирающих за чистотой идеологии и моральным обликом, хлопот не оберешься...

— Ну, как тебе? Голову даю на отсечение, никогда раньше не видел кухню с изнанки?

Рядом стоял Гай с усталым, но гордым видом помянутого полководца, выигравшего-таки сражение.

— Не доводилось, — сказал Мазур.

Гай хихикнул:

— Парень, а у тебя вид ошарашенный, как у старой леди из провинции, что ненароком забрела на стриптиз вместо Шекспира. Уши еще красные.

— Поди ты...

— Точно, красные.

— Мы в Австралии — люди консервативные, — сказал Мазур.

— Но смотреть-то смотрите?

— Бывает, — сказал Мазур.

— Вот то-то... Пойдем, разговор есть. Деловой.

Они спустились в каюту. Гай извлек из небольшого бара бутылку виски, плеснул в два стопарика, сунул один Мазуру и задушевно сказал:

— Я, конечно, понимаю, что вы в вашей Австралии парни консервативные и старомодные, но доллары, знаешь ли, они и в Австралии доллары. Точно? Вот видишь... Короче, у меня к тебе профессиональное предложение. Будь другом, шорты спусти и покажи агрегат.

— Чего-о? — спросил Мазур недобро.

— Эй, ты не понял! Я в частной жизни интересуюсь только бабами и совращать тебя не собираюсь, дубина ты этакая! Никакого покушения на твою непорочность, это мы Кристине оставим. Говорю же, чисто профессиональный интерес! Хочу тебя к делу приспособить, если ты еще не понял?

— Меня? — чуточку ошалел Мазур.

— А что? Мы тут не Шекспира экранизируем, Дикки, и не на Оскара рассчитываем. От тебя и не требуется изощренного мастерства, психологического проникновения в классические образы и прочей хренотени. От тебя, проще выражаясь, как раз и требуется одна сплошная хренотень. Каламбурчик, а? Короче, можешь ты показать свое добро в профессиональных целях?

— Поди ты.

Гай вытащил из нагрудного кармана две стодолларовых бумажки и, развернув веером, продемонстрировал Мазуру:

— Смотри, деревенщина австралийская. Двести баксов за недолгую демонстрацию, причем, повторяю, без тени сексуальных домогательств... Ну?

Интересно, а как в подобной ситуации должен себя вести настоящий австралийский бродяга? Ох, чутье подсказывает, что не упустил бы случая срубить дуриком денежку...

— Ладно, — сказал Мазур сердито, решив не выходить из образа, спустил шорты вместе с плавками и постоял. Ехидно осведомился: — Ну как, подходит под твой размерчик?

Гай пропустил это мимо ушей, ничуть не обидевшись. Он задумчиво разглядывал предъявленный ему на обозрение предмет с отрешенно-циничным видом опытного доктора.

— Порядок, — сказал он задумчиво. — Ладно, держи бабки, и можешь одеваться. Что я тебе скажу... Я тебя, наверное, огорчу, но агрегат твой, уж пардон, не вытягивает на героя первого плана. Для, как бы это выразиться, частного лица вполне приличный размерчик, но для нашего бизнеса недотягивает, извини.

— Как-нибудь переживу, — фыркнул Мазур. — Меня вполне устраивает и образ жизни частного лица...

Гай прищурился:

— Есть существенная разница, Дикки... Как частное лицо, ты свою машинку либо пускаешь в ход бесплатно, либо сам вынужден девке платить. А тут тебе платят... И неплохо. Чувствуешь нешуточное отличие?

— Ты же сам говоришь, что я не гожусь.

— На *первый* план, я имел в виду. В любом фильме, кроме звезд, есть еще и второй план. А на него ты вполне катишь. Ты погоди, не фыркай так и не пускай дым из ушей с возмущенным видом... Дикки, ты и не представляешь, какие бабки в этом бизнесе крутятся даже для второго плана... Яхточку мою ты уже видел. И глубоко ошибешься, если решишь, что мне ее в наследство оставил дедушка или подарил папаша. Мой папаша до сих пор держит паршивую бензозаправку в штате Вермонт, и от него таких подарочков за три жизни не дождаться... Все, что есть, я, да будет тебе известно, заработал своим горбом. Улавливаешь масштаб? Я, конечно, не говорю, что у тебя тоже будет такая — но в любом случае, бабок настрижешь гораздо больше, чем сейчас, болтаясь по морям в качестве прислуги за все... Пока стоит мир, люди будут вот это покупать, — он показал большим пальцем на иллюминатор, в сторону «съемочной площадки». — А значит, все мы будем жить неплохо... Ну, ты просекаешь?

— Что-то не манит меня такая карьера, — сказал Мазур.

— Потому что ты еще не взвесил как следует все выгоды. От тебя, дружище, требуются сущие пустяки — вдумчиво трахать перед камерой этих телок. Есть свои профессиональные секреты, но они нехитрые, в два счета обучишься. — Он уставился в потолок и продолжал мечтательно: — Есть у меня давняя мечта, Дикки, — приподняться на ступенечку повыше. Обратил внимание, я даже декорацию построил? А целая куча народу из нашего бизнеса и не почешется, цента не выкинет на подобные, по их мнению, излишества. Работают убого:

камера, пара девок да какой-нибудь снятый по дешевке на день пустой склад. Сущая дешевка... У меня, старина, замыслы покруче. Хочу снимать что-нибудь самую чуточку посложнее и побогаче в смысле бутафории. Ну, не доводя до этого самого искусства — нужно же учитывать специфику нашего потребителя... Но все равно, чтобы приподняться над кучей вовсе уж дешевых ремесленников, нужно заделать нечто классом повыше. Есть куча идей. И ты в эти планы удачно вписываешься.

— С какого перепугу?

— У тебя рожа *культурная*, парень, — сказал Гай. — Ну ты сам видел Слима с Беном... Аппарат у каждого по колено, зато физиономии подгуляли: как усы ни наклеивай и в какие шмотки ни наряжай, все равно вылезает харя тупого детинушки с бандитской окраины, если ты понимаешь, что я имею в виду... Молодежные банды, два класса задрипанной школы, исправительная колония для несовершеннолетних, две с половиной извилины и все такое... А у тебя физиономия... — он неопределенно покрутил пальцами, — ну, я ж тебе говорю, культурная. Этакий сеньор из общества, не зря Кристи на тебя запала. Присутствует этакий шарм, как выражаются в Париже. Есть категория зрителей, на которых, по моим расчетам, именно такая физиономия должна будет подействовать — пусть даже в сочетании не с самым большим агрегатом. Забабахаем что-нибудь костюмное, пейзажики какие-нибудь вставим, виды зданий и все такое... Вместе подумаем. Я тебя в люди выведу, верь моему слову. Уж если мои нынешние обормоты зашибают кучу бабок... При грамотной постановке дела ты у меня озолотишься, благодарить потом будешь!

Мазура поневоле прошиб идиотский смех. Он представил себе лица иных хозяев высоких кабинетов вкупе с замполитами. «А где это капитан Мазур, что-то его давненько не видно?» — «А капитан Мазур, товарищи дорогие, отколол шутку: он сейчас на Западе в порнографических фильмах снимается...» Вот был бы номер! С начала времен такого еще в военно-морском спецназе не случалось, это ж даже получается гораздо циничнее и необычнее вульгарной измены Родине...

— Зря ты лыбишься, — сказал Гай. — Обмозгуешь все старательно, сам поймешь, что это золотое дно... Давай попробуем?

Он приоткрыл дверь каюты и кого-то позвал. Почти сразу же, словно за дверью дожидалась — а может, так и было, — вошла роскошная блондинка, час назад настигнутая пиратами на морском берегу. Окинула Мазура бесстыжим взглядом и преспокойно спросила:

— Ну как?

— Парнишка сопротивляется, — сказал Гай весело. — Они в Австралии, видишь ли, люди старомодные, уши у него алеют и вянут, и все такое... Ломается, короче. Как думаешь, Эби, сможешь ты с этой целочкой грамотно справиться?

— Да без проблем, Гай, — промурлыкала Эби.

Одним движением освободилась от коротенького халатика, под которым ничего не оказалось, медленно направилась к Мазуру, колыша бедрами, томно улыбаясь и облизывая губы розовым язычком. Мазур отступил было, но вскоре оказался у стены. Девица придвинулась вплотную, без церемоний сграбастала его мужское достоинство, ослепительно улыбнулась и сообщила:

— Не переживай, малыш, это не больно и не страшно, а мамочке мы ничего не скажем...

Гай деловито сказал из-за ее плеча:

— Дик, это называется — кинопроба. Представь, что меня тут нет, и валяй, покажи, на что способен. Чистейшей воды бизнес, парень. Пятьсот баксов, как с куста, сразу по окончании. Если окажется, что из тебя будет толк, контракт можно будет прямо сейчас обмозговать, предварительными наметками... Эби, что ты тянешь?

— Сейчас все наладится, — сказала Эби, нахальничая уже обеими руками. — Проказник уже оживает, Дикки у нас нормальный мальчик, не импотент какой-нибудь, правда? Ну, расслабляйся, сейчас испорченная девочка Эби тебя посвятит в тайны большого кино... Тебе понравится.

В столь заковыристые ситуации Мазур еще не влипал — и, что самое печальное, это был не тот случай, чтобы отбиваться по всем правилам, с применением боевых искусств. Не ломать же шею голой девице, запустившей ему блудливые рученьки в шорты, чтобы завербовать в порнографические актеры?

Глава 14
Один в бескрайнем небе

Дверь приоткрылась, просунулась голова одного из киношных флибустьеров — уже без черной повязки на совершенно здоровом глазу.

Гай недовольно рявкнул:

— Не видишь, мы работаем?

— Сделай перерывчик, а? Там идет на посадку какой-то самолет, целеустремленно так, прямо к кораблям заруливает...

Задумчиво приложив палец ко лбу, Гай протянул:

— Странно, деньги плачены честь по чести, разрешение на съемки, то бишь аренду, по всем правилам выписано, так что это не власти... Какие-нибудь долбаные туристы? Надо бы шугануть, чтобы не пялились бесплатно на то, за что должны денежки выкладывать... Ладно, детка, оденься пока. Пойдем посмотрим.

Он энергично направился к двери, но Мазур его с превеликим облегчением опередил. В гробу он видел такие кинопробы, откровенно-то говоря. Пожалуй, о некоторых подробностях этой командировки надо будет дома помалкивать вглухую. Иначе шуточек потом не оберешься, долгонько будут поминать. Есть печальные примеры с вышибалой в борделе...

Когда они спустились по трапу, к берегу уже собрались все члены киногруппы, обрадовавшиеся случайному развлечению. Небольшой гидросамолет, изящный, белый с двумя синими полосами по борту, уже коснулся воды и, оставляя двойную белопенную борозду, гасил скорость, направляясь прямехонько к корме «Альбатроса». Возле нее он и остановился, замер винт, умолк мотор, самолетик уткнулся поплавками в песок, тут же распахнулась дверца, и на берег стали выпрыгивать люди.

Четверо мужчин в светлых пиджаках и светлых куртках. Они один за другим выбирались на сухой песок, двигаясь совершенно непринужденно, целеустремленно, почему-то казалось даже, что они и не видят табунок зевак, насчитывавший около двух десятков человек.

Гай деловито протолкался вперед — и замер на месте, растерянно таращась на происходящее.

У двоих прилетевших в руках ничего не было — а двое остальных держали стволами вниз короткие аргентинские автоматы. Мазур прекрасно знал эту модель: небольшая, игрушечная на вид, но трещотка самая настоящая и способна натворить дел, особенно в умелых руках.

Шагавший впереди поднял автомат, одной рукой, без усилий, наведя ствол в небо, с небрежным видом потянул спуск. Автомат выплюнул очередь на десяток патронов, вылетевшие гильзы по дуге ушли в песок.

Моментально воцарилась полная тишина, и все замерли в позах, в которых их эта неожиданность застала. Человек с автоматом, подойдя близко, распорядился спокойно, деловито:

— Ну-ка, мальчики и девочки, кыш, кыш! По корабликам, живенько, два раза повторять не буду и стрелять буду уже не в воздух... Живенько, кому говорю! А ты останься, австралиец! Стоять смирненько!

Вся толпа так и сыпанула к суденышкам. Двое с автоматами шагали следом с невозмутимым и хватким видом опытных пастушеских волкодавов. Мазур остался стоять на месте, решив, что не стоит обострять ситуацию, не имея точной информации. Вся эта четверка была ему решительно незнакома. Но, как бы там ни было, ухватки у них что-то не напоминают поведение блюстителей закона, пусть даже грубых и нахальных...

Двое оставшихся неторопливо подошли к нему. Оружие у них, разумеется, все же было — Мазур без труда углядел под пиджаками внушительные кобуры.

Это еще полбеды. Что ему решительно не понравилось, так это лица незнакомцев. И вовсе не потому, что они были какими-то особенно зверскими или уродливыми. Ничего подобного, наоборот — самые обычные люди, неброской внешности. Просто-напросто подобные физиономии он *просекал* сразу. Как правило, они принадлежали людям серьезным и потому особенно опасным. Спокойное превосходство, бесстрастие, холодная непреклонность. Обычно такие ребятки не мелочь по карманам тырят в автобусах, а занимаются делами посерьезнее. И относиться к ним нужно со всей серьезностью, не за фраеров держать...

В кабине самолетика, Мазур прекрасно рассмотрел, больше ни кого не осталось. Ситуация, конечно, вовсе не похоронная, но из-за своей полнейшей непонятности все же скверная...

Он оглянулся. *Массовку*, сноровисто разбив на две кучки, уже загнали на кораблики, скрылись из виду и они, и их погонщики с автоматами.

— Нужно поговорить, Дикки, — сказал один, глядя на Мазура примерно так, как он сам смотрел на копошащихся в песке крабиков.

— А вы меня ни с кем не путаете, ребята? — осведомился Мазур.

— Дик Дикинсон, паспорт австралийский, но о подлинности судить не берусь. Скрипочка из оркестра Бешеного Майка. Бродячий музыкант.

— Парни...

Незнакомец спокойно поднял ладонь:

— Простые правила, Дикки. Ты не валяешь дурака и не притворяешься безобидным туристом. Если будешь продолжать в том же духе, чувствительно получишь по организму, а если и тогда не уймешься — словишь вовсе уж болезненно. Ты понял правила?

— Понял, — угрюмо сказал Мазур.

Не следовало нарываться. И так верилось, что слов на ветер этот субъект не бросает.

— Вот и отлично. Как тебя зовут, мы знаем. А меня зовут Мистер Никто.

— Джон Доу, что ли? — рискнул Мазур.

— Это скверная шутка, Дикки.

Шуточка была и в самом деле не особенно и добрая. Так уж издавна принято у американских полицейских и медиков: труп, чью личность пока что установить не удалось, или находящийся в бессознательном состоянии столь же не идентифицированный пострадавший до более детального выяснения именуется в официальных документах «Джон Доу». Если это мужчина, разумеется. Женщину обозначают как «Джейн Доу».

— А что, шутить тоже нельзя? Извините, вы не предупредили.

— Шутить не стоит. Не будем тратить драгоценное время, — сказал Мистер Никто. —

Дальнейшая беседа будет протекать просто: вопрос — ответ, вопрос — ответ. Без шуточек, пустословия и, самое главное, без вранья и уверток. Если все пройдет по такому именно сценарию, мы улетим, а ты останешься с этой порнографической шушерой целый и невредимый. Ты понял правила?

— Понял, — сказал Мазур.

Незнакомец огляделся и моментально принял решение:

— Пошли вон туда, под навес. Не так жарко будет.

Пожав плечами, Мазур первым направился к хлипкому навесу.

— Забился в безопасное местечко пережить трудные времена?

— Пожалуй, — сказал Мазур.

Под навесом стояло превеликое множество пластмассовых стульев. Усевшись на ближайший, Мистер Никто кивнул Мазуру:

— Садись, Дикки, разговор в пару минут не уложится...

Прежде чем Мазур сел, второй бесцеремонно его охлопал, явно в тщетных поисках оружия, а потом поместился за спиной. Мистер Никто заложил ногу на ногу, сунул сигарету в рот и сказал небрежно:

— Кто ты такой, мы, как видишь, прекрасно знаем. Что до нас, то мы просто-напросто мальчики на посылках. Есть такая категория наемных работников, в нее вписывается превеликое множество самого разного народа. Но суть, в общем, одна. Мальчики на посылках. Нам поручили с тобой потолковать, и мы не поленились прилететь. Предупреждаю сразу, чтобы не осталось ни малейших недомолвок: мы, как ты уже, должно быть, просек — посыльные *особого* рода. Не лирические записочки доставляем от кавалеров к дамочкам и не пиццу развозим. У нас гораздо более серьезная контора, и задачи, соответственно, гораздо более серьезные, чем у разносчиков пиццы. Да и хозяин, скажу тебе по секрету, очень серьезный. В том смысле что все его поручения полагается выполнять в сжатые сроки и очень скрупулезно, от сих и до сих. Если мы подведем хозяина, чего-то не выполним, выполним не в полном объеме или напортачим, хозяин будет в ярости. Такие провалы, к гадалке не ходи, заканчиваются для провинившихся купанием в каком-нибудь тихом заливчике с увесистыми бетонными ластами на нижних конечностях. Или чем-нибудь другим не менее унылым — а то и гораздо более мучительным. Понимаешь, что отсюда вытекает? То, что мы не можем позволить себе роскоши напортачить или выполнить поручение наполовину. И поскольку у человека нет более близкого создания, чем он сам, мы с приятелем думаем в первую очередь о себе. Все *твои* неудобства, которые могут возникнуть от твоего нежелания сотрудничать, нас совершенно не трогают. В том числе и то, будешь ты жив или станешь мертвым. Мне уже приходилось переселять людей на тот свет — и, подозреваю, еще придется... В общем, шутки кончились, а виляния, увертки и ложь недопустимы. Уяснил?

— Уяснил, — сказал Мазур.

— Серьезно?

— Серьезно.

— Сразу видно делового человека с некоторым жизненным опытом... — одними губами усмехнулся Мистер Никто. — Увертюра кончилась. Началось представление. Просьба у нас к тебе небольшая, довольно легко выполнимая и совсем несложная. Я представления не имею, кто рванул вашу «Викторию», но меня такие подробности и не интересуют... У меня другая задача. Мне нужно, чтобы ты привел нас к Бешеному Майку. Быстро и не петляя, по прямой линии.

— А зачем?

— Мы его вежливо попросим забыть о своих планах и убраться отсюда к чертовой матери.

— Парни, я не шучу и не виляю, — сказал Мазур. — Я вас попросту ориентирую в ситуации. Насколько я знаю Майка, он вряд ли вас послушает. Уж если он взял деньги и наметил дело...

Мистер Никто прервал:

— Вот *это* уже не твоя забота, Дикки. У тебя об этом не должна болеть голова. Это уже наши проблемы. От тебя, повторяю, требуется одно: привести нас к Майку. Он, как любой на его месте, где-то залег на дно. И ты должен знать, где. У вас, сто процентов, подобное было обговорено заранее, укрытия намечены, пути отхода продуманы... Я же не считаю его сопляком — и тебя, кстати, тоже — я к нему серьезно отношусь. И в жизни не поверю, что ты не знаешь, где он. Ты у него — правая рука...

— Почему вы так решили?

— Резонный вопрос, — не удивившись и не возмутившись, кивнул Мистер Никто. — Помнишь парня по имени Уолли? Ты никак не мог его забыть, слишком мало времени прошло... Мы с ним поговорили по душам, и он выложил все, что о тебе знал.

— И где сейчас его потроха? — усмехнулся Мазур.

— Там же, где и вся туша, — спокойно сказал Мистер Никто. — Уолли сейчас сидит в подлетающем к Штатам самолете, благословляет Бога, что был умным мальчиком и потому убрался целым и невредимым... Стиль работы и специфика ситуации. Нам не было никакой надобности разбрасывать его потроха акулам в море. Он моментально смекнул, что с нами шутить не следует, был откровенным и словоохотливым, как на исповеди, — и потому отпущен с миром. Можешь не верить, но обошлось даже без зуботычин. Потому что он не дурак. Хочется верить, с тобой все так же пройдет — быстро, легко, к полному удовлетворению обеих сторон. Если выполнишь все, что от тебя потребуется, не будет смысла тебя убивать.

— А в чем, собственно, дело? — спросил Мазур. — Могу я знать подробности?

— Можешь, — моментально ответил Мистер Никто. — Я с тобой буду полностью откровенным, — он снова бледно усмехнулся. — Не по доброте душевной, а чтобы ты окончательно понял, что у тебя один-единственный выход... Дело обстоит предельно просто и незатейливо. Внезапно возникла возможность приобрести золотое дно под названием Райская долина за сущие гроши. За смешную цену, абсолютно несоизмеримую с реальной стоимостью всей этой благодати. К сожалению, когда наш хозяин об этом узнал, Аристид уже ударил по рукам с теми, кого здесь представлял твой добрый знакомый Уолли. А впрочем, сожалений особых и не было. Хозяин, надо тебе сказать, гораздо покруче тех, кто успел первым. И вопрос решили полюбовно, без дурацкой пальбы и прочих излишеств. Они попросту отработали назад — и теперь рады-радехоньки, что оказались такими толковыми. Начни они ерепениться, кое для кого кончилось бы плохо. Хозяин вовсе не злой. Он деловой человек и подобную сделку никак не мог упустить — как и любой из нас на его месте, включая тебя, верно ведь?

— Пожалуй, — сказал Мазур.

— Ну вот, ты сам все прекрасно понимаешь. Чтобы сделка не расстроилась, дядюшка Аристид должен и далее оставаться на своем высоком посту. А это, в свою очередь, требует, чтобы планы Майка так и остались пустыми фантазиями. Мы ему обрисуем ситуацию, а там уже — смотря по обстоятельствам... Но тебя, повторяю, наши с ним дела не должны волновать. Ты нас к нему приведешь, вот и все. Боже упаси, я не требую, чтобы ты с нами туда входил. Мы тебя отпустим на все четыре стороны, как только убедимся, что ты нас не обманул. Но не раньше...

— И, по-вашему, Майк так никогда и не догадается, кто его продал?

— А разве он догадался, что ты его заложил Уолли? — усмехнулся Мистер Никто уже гораздо человечнее, что ли, не так холодно. — Ты мальчик шустрый, Дикки — а наш мир чертовски большой. В конце концов, Бешеный Майк — не ЦРУ, не КГБ и даже не разведка какого-нибудь Эквадора. У него не будет ни физической возможности, ни денег гоняться за тобой по всему свету, даже если и узнает правду... Я резонно излагаю?

— Резонно, — сказал Мазур.

— Вот видишь. Ну, что же? Ситуация предельно ясная, нет никаких недомолвок или темных мест. Мы *обязаны* выполнить поручение, Дикки. Если этого не произойдет, никакие наши объяснения не будут приняты во внимание... Ну, а поскольку я человек, не лишенный предрассудков... Знаешь мой главный и самый важный в жизни предрассудок? Я хочу жить и дальше, жить спокойно, в прежнем качестве. Отсюда легко вытекает: если ты мне не поможешь, добровольно, я имею в виду, возможно все, что угодно... Ты мне веришь?

— Верю, — пробурчал Мазур.

— Вот и отлично. Бери пример с Уолли.

— Между прочим, Уолли мне за подобные услуги дал денег...

— Я знаю, — ласково кивнул Мистер Никто. — Двадцать пять кусков, а как же. Думаю, с тебя хватит. Особенно если учесть, что ты, собственно говоря, заработал приличные деньги *дуриком*, палец о палец не ударив.

Мазур возмущенно вскинулся:

— Вы что, хотите сказать, что не намерены...

— Платить? — понятливо подхватил Мистер Никто. — Ни цента. Говорю тебе, хозяин деловой человек. Если бы он выделил для тебя деньги, будь уверен, я предложил бы тебе именно ту сумму, что он ассигновал, не прикарманив ни цента, — с хозяином такие шутки шутить опасно. Но это бизнес, парень. Зачем тратить лишние деньги, если можно добиться того же результата без малейших затрат?

— А я что получу? — спросил Мазур с видом глубоко огорченного.

— Жизнь, старина. Это, по-твоему, мало? Ты отсюда смотаешься целым и невредимым, к тому же денежки, полученные от Уолли останутся при тебе... Ну, разве я не благодетель?

— А где гарантии?

Мистер Никто развел руками:

— Уж извини, но всех гарантий тут — мое честное слово. Придется тебе этим и ограничиться, потому что выбора у тебя, насколько я понимаю, нет... Когда мы начнем с тобой беседовать *жестко*, будет уже поздно. Так что лучше тебе с нами играть честно... Ну, ты все понял? Сейчас мы сядем в самолет и все вместе полетим на Сент-Каррадин. У тебя здесь есть багаж?

— Никакого.

— Тем лучше, — он нетерпеливо пошевелился. — Ну, что мы в таком случае прохлаждаемся? Пошли. В самолете есть виски, хлебнешь по дороге для бодрости...

Это уже была совершенно другая ситуация — абсолютно не та, что в отеле, с Уолли и его меланхоличным напарником-двойником. Здесь уже нельзя соглашаться даже для виду. Попав к ним, вырваться будет трудненько, потому что информацию они потребуют немедленно и проверять ее кинутся наверняка тут же. Конечно, особого труда не составит вдумчиво надавать им по мозгам — но это означает, что придется убираться с Сент-Каррадина каким-то нелегальным образом, имея на плечах опасного, сильного и разозленного противника. Зато здесь и сейчас... Все гораздо проще, а?

Мазур посмотрел на песчаный берег. Пустой гидроплан все так же торчал у берега. Он не сумел бы управлять «Боингом» или каким-нибудь другим большим самолетом, но с этой птичкой вполне мог справиться. Учили, знаете ли, потому что никогда заранее не известно, что именно пригодится в странствиях вдали от дома. До Флоренсвилля по прямой всего-то километров восемьдесят... А уж там будет гораздо проще.

Словом, он уже все решил. Оставалось только в молниеносном темпе прокачать *детали*.

На каждом кораблике — по жлобу с трещоткой. Чересчур рискованно их оттуда *выковыривать* — они могут сейчас наблюдать за переговорами, вовремя просекут события, засядут там, прикрываясь заложниками, и добирайся до них потом. Гораздо проще будет...

— Я так понимаю, вы здесь самый главный, Мистер Никто? — спросил Мазур преспокойно.

Собеседник так и впился в него пытливым взглядом — разумеется, он ничего не заподозрил, он попросту чутьем, нюхом отметил нечто *непонятное*, не укладывавшееся в ситуацию. Битый дядька, великодушно отметил Мазур, у такого и спинной мозг задействован в довесок к основному...

— Самый главный, — сказал Мистер Никто.

— Ну что же, — сказал Мазур. — В таком случае приступим, господа?

Он как сидел, так и выпрямился на полусогнутых ногах, не глядя, ориентируясь по дыханию, по тени от торчавшего за спиной верзилы, ухватил его обеими руками за шею и кинул через себя, на лету припечатав коленом в физиономию, наклонился влево и обрушил обмякшее тело на сидевшего напротив собеседника — как и следовало ожидать, тот не успел среагировать... Прыгнул ногами вперед и угодил правой точнехонько в то место, куда целился.

Они еще не успели ничего осознать и прийти в себя, а Мазур уже избавил обоих от стволов, вмиг став обладателем здоровенного «Питона» и солидной «Беретты». «Беретту» засунул за ремень, двинул ее хозяина так, чтобы обеспечить ему долгое забытье, а пошевелившегося Мистера Никто бесцеремонно поднял на ноги, упер дуло револьвера в ухо, выкрутив левой его правую руку. Сказал внятно:

— Парень, ты на меня произвел впечатление толкового профессионала. Давай и дальше без глупостей. Если я тебе вышибу мозги, кричать на все стороны не буду...

Он выждал несколько секунд, чтобы пленник окончательно очухался и осознал свое печальное положение во всей полноте.

Ага! Со стороны «Альбатроса» протрещала короткая, неуверенная, пожалуй что, автоматная очередь. Пули прошли высоко, далеко в стороне. Ну да, вон иллюминатор открыт...

— Дикки, ты себе чертовски осложнил жизнь, — сказал Мистер Никто.

Он полностью оправдал ожидания Мазура и нисколечко не шевелился, как и следовало человеку его полета, прекрасно осознающему, что в ухо ему упирается дуло не самого малокалиберного кольта, и легкое движение пальца на спусковом крючке упредит любое его спонтанное движение.

— Все зависит от точки зрения, знаешь ли, — ответил Мазур. — Тебе объяснять мой следующий ход, или сам поймешь? Учти, я умею управлять самолетом. И мне, в общем, без разницы, живыми я вас тут оставлю, или наоборот...

— Чертова куча свидетелей, — сказал Мистер Никто. — Ты же не сможешь положить их всех. Чисто технически не получится — начнут разбегаться, патронов не хватит...

Очень примечательный был у него тон — боже упаси, он не просил пощады, не тот мальчик, но жить ему чертовски хотелось, и это неуловимо прорывалось в интонации...

— Постараемся обойтись без крови, — сказал Мазур. — Я тебя слушал долго и старательно, а теперь слушай ты меня... Если не начнешь дергаться, останешься живым.

— Дикки, ты и не представляешь, как осерчает хозяин...

— Вот это уже твои проблемы, — сказал Мазур. — Ты большой мальчик, выпутывайся, как умеешь. Прекрасно должен понимать, что твоя судьба, по большому счету, меня совершенно не беспокоит, в этом мире каждый сам за себя...

— Что ты хочешь?

— Прикажи своим орангутангам сложить оружие.

— А если они не послушают?

— Тогда ты будешь самым первым трупом, — сказал Мазур. — В конце концов, их только двое, ты и не представляешь, старина, на что способен квалифицированный белый наемник, который дерется за свою шкуру... К гидроплану я им подойти не дам, сам понимаешь. На кораблях им не уплыть — там слишком много народу, кто-нибудь непременно попробует дать по башке одинокому захватчику... Позиция у меня не самая скверная. Тут полно пальм, за которыми можно укрыться. И, главное... Твой мальчик, что только что стрелял с «Альбатроса», определенно старался тебя не задеть. А значит, твоя участь их все же волнует. Подозреваю, дело тут не в их высоком душевном благородстве, а в том, что без тебя им никак нельзя будет возвращаться к хозяину. В самом деле, что это за подчиненные такие, которые вернулись сюда без главаря? А впрочем, еще не факт, что кто-то из них вернется. Говорю тебе, ты плохо представляешь, что такое разъяренный белый наемник из команды Шора...

Пленник выругался — с неподдельным чувством и экспрессией, негромко и скупо.

— Это в мой адрес? — полюбопытствовал Мазур.

— Черт его знает. Тут на весь белый свет будешь зол...

— Ну ладно, Мистер Никто, — сказал Мазур. — Пока что ты себя ведешь, как человек полностью вменяемый. Давай и дальше в том же стиле? Я ничего тебе не буду говорить — какие тут, к дьяволу, долгие увертюры... Просто-напросто прикажи им выбросить в иллюминаторы стволы. Потом я уберусь, а вы останетесь. Не переживай, тут полно виски и доступных девок... Ну?

Он покрепче вдавил дуло любимой пушки Грязного Гарри в ухо пленного. Второй, как и замышлялось, пока что не пришел в сознание.

— Ну? – требовательно спросил Мазур. — Уговаривать не буду. Ты в случае чего будешь *самым* первым, вот и все...

— Ох, парень...

— Повторяй за мной во всю глотку, — сказал Мазур. — Отсоединить магазины, сначала выбросить их, потом автоматы. Пистолеты следом, по той же методике. Я видел, у них пушки под полой...

Не прошло и пяти секунд, как Мистер Никто повторил все вышесказанное — во весь голос, тоном, который показывал, что жизнь ему, в общем, дороже, чем гнев жалкого хозяина. И прибавил уже от себя:

— Шевелитесь, олухи! У меня пушка возле башки!

Из иллюминатора «Альбатроса» вылетел короткий и плоский автоматный магазин, а следом и сама трещотка. После некоторой паузы за ней последовал коротконосый револьвер. Затем из рубки второго кораблика выбросили второй автомат и никелированный пистолет.

— Теперь пусть сами вылезают, — распорядился Мазур.

Мистер Никто добросовестно озвучил команду, и оба гангстера («А кто же это еще? Мирные брокеры с Уолл-стрит или учителя воскресной школы?!» — подумал Мазур) спустились по трапам, озираясь со вполне понятным в данной ситуации унынием.

Следом пытались было выскочить освобожденные пленники, но тут уж сам Мазур рявкнул во всю ивановскую:

— Сидеть на кораблях, пока я не разрешу вылезти!

И для пущего эффекта, на миг отведя дуло от уха пленника, нажал на спуск. В рубке «Альбатроса» звонко разлетелось остекление. Народ моментально исчез с палубы и, надо полагать, затаился.

Дружелюбно улыбаясь обоим верзилам, стоявшим с предусмотрительно поднятыми руками, Мазур приказал:

— Раздевайтесь, ребятки, в темпе! Трусы можете оставить, я фильмы не снимаю, и меня длина ваших причиндалов не интересует... Кому говорю, мать вашу?!

Вскоре оба стояли в надлежащем виде, зло таращась исподлобья, грозно сопя и, судя по мечтательно-яростным взорам, во всех подробностях представляя, что они утворят, если Мазур все же попадется к ним в руки. Глупо было бы на них за это сердиться — тут любой на их месте озлится...

Мистера Никто не было необходимости заставлять исполнять стриптиз — Мазур и так знал, что оружия при нем нет. Ну, пока вроде бы все идет гладко, противник разбит наголову и сопротивления оказывать не способен, самое время во всех деталях представить себе отход — и выполнить намеченное.

И все же...

В подсознании у него засела какая-то заноза — словно он что-то не взял в расчет, пропустил, не учел. И Мазур никак не мог эту занозу вычислить.

Под занавесом зашевелился четвертый, встал, опираясь на руки, будто ожившая картинка из учебника зоологии: обезьяноподобный предок человека, решивший наконец перейти к вертикальному хождению на задних конечностях. Наблюдая за ним краем глаза, Мазур не препятствовал — и уж тем более его не трогала яростная ругань. За человеком в таком положении следует великодушно признать право материться вдоволь, будем великоблагородны, как победителю и положено...

— Ну, топай сюда, к остальным, — сказал Мазур, сделав приглашающее движение здоровенным револьвером. — Здесь без тебя картина незавершенная... Живо, не серди папочку, а то папочка как засветит промеж глаз из приличного калибра...

Бормоча ругательства, четвертый, пошатываясь, все же добросовестно встал в шеренгу — ситуация комментариев не требовала и была ясна, как день.

Мистер Никто сказал так убедительно, как только мог:

— Дикки, парень, ты, может, и не поверишь, но я готов все забыть. Чем хочешь клянусь, если полетишь с нами на Сент-Каррадин, все договоры остаются в силе... Я на тебя даже не буду сердиться. Мне, конечно, чертовски обидно, сам понимаешь, но ради дела я уж как-нибудь перетерплю... Честно. Даже про деньги можем поговорить...

Мазур фыркнул:

— Ты же сам говорил, что хозяин на меня денег не ассигновал.

— Я свои имею в виду, свои собственные. У нас есть с собой тысяч пять. Забирай. Давай серьезно...

Лицо у него было исполнено яростной надежды на чудо. Судя по некоторым впечатлениям, он, свободно может оказаться, и не врал, всерьез собирался все простить. Должно быть, неведомый хозяин был человеком суровым и безжалостным, и судьба Мистера Никто ждала незавидная. Но Мазур не собирался по этому поводу лить слезы.

— Не подходит, — сообщил он кратко. — А теперь, ребятки, немного потрудимся. Вы, может быть, не подзабыли или вообще не знали из-за пробелов в образовании, но именно труд из обезьяны человека сделал...

Задача была нехитрая и не требовала особых усилий: Мазур, присев на корточки и держа четверку на прицеле, быстренько разрядил трофейное оружие, и двое субъектов в трусах по его команде принялись за дело: один унес к морю оружие, другой — патроны. Забросили все это добро подальше в воду.

— Ну, видите, как прекрасно все устроилось? — спросил Мазур. — Пока великие державы талдычат о разоружении, я на одном кусочке суши и сам справился... Стоять спокойно! Митинговать будете потом, когда я уеду. А если кто-нибудь начнет дергаться, мозги вышибу!

Он стал неторопливо отступать к самолетику, держа компанию на прицеле. Ему по-прежнему казалось, что упущено нечто важное.

Некая немаловажная деталь, не имевшая отношения к чисто военному опыту Мазура, а потому и не дававшаяся в руки. Что-то тут не складывалось. Откуда они узнали, куда поплыл «Альбатрос»? Почему нагрянули так целеустремленно, словно заранее знали о киноэкспедиции слишком много? Почему палили так непринужденно? А если бы, скажем, с киношниками для порядка и охраны ради поплыла парочка местных полицейских? Что-то не складывается...

Взобравшись в кабину, он посмотрел на берег. Четверка по-прежнему торчала на том месте, где Мазур их построил: прекрасно понимали, что они сейчас как на ладони, и ему ничего не стоит перестрелять к чертовой матери всех до одного со своей позиции...

Все оказалось легче, чем он думал. Ничего незнакомого или необычного. Мотор послушно заработал, завертелся пропеллер, очень быстро превратившись в туманный диск. Положив револьвер на сиденье рядом с собой, Мазур поработал штурвалом, осваиваясь, тронул нужные рычаги.

Гидроплан развернулся влево, легко высвободив правый поплавок из рассыпчатого песка. Нацелив его носом в открытое море, Мазур прибавил газу. Он определенно пересолил, чересчур газанул — но тут же поправил дело.

Самолетик начал разбег, мотор тарахтел ровно и мощно, нос стал задираться, по обеим сторонам встали радужные веера воды...

Краем глаза он все это время наблюдал за берегом — и прекрасно рассмотрел, как с палубы второго суденышка, минуя трап, сиганул в песок человек с каким-то продолговатым черным предметом в руках, как к нему кинулся Мистер Никто и принялся этот предмет вырывать.

Вот теперь все встало на свои места, и загадка наконец поддалась. У них был сообщник — среди экипажа того кораблика, затаившийся до поры до времени. Что ж, грамотно. Пора уносить ноги, пока не продырявили к чертовой матери. Когда эта хреновина наконец оторвется от воды?!

Мазур прибавил газу, манипулируя рулями высоты. Настоящий летчик, окажись он сейчас в кабине, наверняка материл бы его долго и старательно, но ничего не поделаешь, приходится справляться, как умеешь, потому что Мистер Никто уже у самой воды вскинул автомат, ловит на прицел ускользающую добычу...

Из револьвера его уже не достать — далеко. Сделать ровным счетом ничего невозможно. Мазур застыл за штурвалом, про себя проклиная последними словами этот аппарат тяжелее воздуха. Гидроплан шел по прямой, Мазур почувствовал, что становится гораздо тяжелее — взлетаем, ура!

Длиннющая автоматная очередь была прекрасно слышна даже сквозь гул мотора. Мазур не смог определить, попал ли стрелок — но остекление кабины цело, как и он сам, так что вроде бы ничего страшного...

Гидроплан наконец оторвался от морской глади — и Мазур, не раздумывая, прибавил газу, пошел вверх круто, чуть ли не вертикально, на всей возможной скорости, уходя от обстрела.

Мир вмиг распахнулся вокруг необозримым простором — бесконечный океан, накрытый куполом неба. Он мельком припомнил, что в курсантские времена читал книжку кого-то из летчиков-испытателей, не нашего, американца, еще довоенного. Он так и называлась: «Один в бескрайнем небе».

Оставшийся позади остров уменьшался на глазах, вскоре его уже не было видно. Чуточку опомнившись от первого пьянящего азарта — Икар, бля! — Мазур сбавил обороты (стрелка уже давно торчала в очерченном красным секторе, и чувствовалось, что двигатель на пределе), сбросил высоту чуть ли не наполовину. Глянув на компас, развернул гидроплан градусов на тридцать к норд-норд-осту и держал теперь курс прямо на Флоренсвилль.

Что-то неприятно скрежетнуло в моторе — или показалось? Мазур обратился в слух. Нет, поганый звук не повторился...

Разумеется, соваться прямо в столицу на угнанной птичке — чересчур. Нужно будет причалить к берегу где-нибудь неподалеку от города, в безлюдном месте, бросить трофей без всякой жалости. Лаврик наверняка уже там. Если Уолли выложил абсолютно все, что знает, и этот амбал примется искать его по столице, ему, надо полагать, организуют теплый прием. На кубинцев в этом смысле можно положиться. А может, после взрыва на «Виктории» проблема снялась сама собой? Плохо верится: те, кто ставит на Майка, вряд ли отступятся так просто. На их месте Мазур тоже сражался бы за свое добро когтями и зубами...

Глава 15
Один в бескрайнем море

«Хорошо летим», — подумал Мазур, восседавший за штурвалом с законной гордостью за себя. Все пока что нормально, и нас так просто из седла не вышибешь...

И все же он снизился над сверкающей океанской гладью метров до восьмидесяти. Машина его слушалась, почти не рыскала — ну, откровенно говоря, самую чуточку, — уверенно шла по прямой на заданной высоте, и все же он чувствовал себя чуточку неловко. Это была не его привычная стихия, по необходимости, конечно, пришлось стать бравым пилотом, но особого удовольствия это ему не доставило. Хотелось, чтобы все поскорее кончилось.

Полное впечатление, что кто-то, любивший злые шутки, поймал его на слове... В двигателе скрежетнуло громко, резко, неприятно; даже не обладая должным опытом, Мазур ощутил, что там случилось что-то скверное. Самолетик тряхнуло так, что Мазур едва не протаранил макушкой потолок, — и еще раз, послабее правда, и еще раз...

Хруст в моторе уже не умолкал, походило на то, как если бы в мясорубку угодила пригоршня стальных гаек, и острый винт под чьей-то нерассуждающей рукой добросовестно пытался их размолоть, но из этого безнадежного предприятия, естественно, не вышло ничего путного...

Мазур вцепился в штурвал, лихорадочно пытаясь оценить обстановку, но ничего из этого не вышло: опыта не было, а значит, неоткуда было взяться нужным рефлексам, которые человеку знающему подскажут все на уровне подсознания. Он всего лишь чувствовал, что с движком что-то не то. Категорически не то.

Гидроплан вновь провалился вниз на добрых двадцать метров, винт на секунду замер, провернулся, заработал... замер, провернулся... Хруст, скрежет, металлическое неустанное бряканье, лязг, длинное звяканье, уйма других, столь же неприятных звуков, — впечатление такое, что все таившиеся под кожухом агрегаты заработали вразнобой, каждый сам по себе.

Машину швыряло и мотало. Справа из-под капота вдруг выметнулась полоса чего-то жидкого, сначала плотная, темно-коричневая, потом превратившееся в туманное облачко оттенка крепко разбавленного пива. На бензин это никак не походило — масло? Тоже ничего хорошего...

Гидроплан провалился. Совершенно не представляя, что происходит и как в таком случае выходят из неприятностей опытные пилоты, Мазур пытался манипулировать газом. Отчего не произошло ни малейших улучшений. Скрежет, наоборот, усилился, став вовсе уж невыносимым для слуха. Винт остановился окончательно, и с протяжным железным хрупаньем окончательно замолчал мотор. Самолетик *обрушился* с неба с грацией утюга, выброшенного с пятого этажа.

Мазур отчаянно пытался задрать гидроплану нос, действуя рулями высоты и прочими элеронами. В совершеннейшей тишине — только упругий свист рассекаемого воздуха — самолет шел вниз под нехорошим углом, и Мазур прямо-таки физически ощутил каждый килограмм веса. Кранты подъемной силе и другим законам аэродинамики...

Голубовато-зеленая вода, покрытая солнечными зайчиками, неслась навстречу, со временем происходило нечто непонятное: секунды то ли тянулись, как резиновые, то ли набрали небывалое ускорение...

Думать было некогда — он отчаянно пытался делать все, что умел.

Гидроплан *плюхнулся* в воду, брызги взлетели вокруг, заслоняя окружающее сплошным радужным занавесом. Мазур чувствовал, что его куда-то несет, но вокруг был все еще воздух, а не глубина...

И вдруг все кончилось, высоченные веера брызг опали. Вокруг простиралось необозримое море, накрытое безоблачным куполом неба, самолетик легонько покачивался на водной глади, и жизни в нем было не больше, чем в дохлой черепахе: молчал мотор, винт замер. Но, с другой стороны, нигде не видно было пламени, не пахло гарью, не ощущалось запаха жженой изоляции.

Обнаружив, что он весь мокрый, как мышь, Мазур вытер лицо рукавом пиджака и побыстрее отключил зажигание, пока не произошло еще чего-нибудь. Такие дела. А у бедного Икарушки только ножки торчат из воды...

Распахнув правую дверцу, он осторожно поставил ногу на поплавок, изогнувшись, цепляясь за стойку крыла, взглянул на белоснежный, с синей полосой капот. И моментально углядел четыре дыры, которые могли быть только следами от пуль. Значит, все-таки зацепил, сволочь... Вся правая сторона капота испачкана вытекшим маслом, до сих пор сочившемся скупыми мутными каплями из парочки пулевых пробоин.

Под ногами у него явственно забулькало. Посмотрев вниз, Мазур понял, что дела обстоят даже хреновее, чем предстало по началу. Вдоль всего правого поплавка длиной поболее человеческого роста тянулась неровная цепочка пробоин — на глаз и первый подсчет, не менее дюжины. Часть из них зияла у верхней кромки поплавка, далеко от воды, а часть оказалась как раз под водой — и от них тянулись цепочки крупных воздушных пузырей, лопавшихся на поверхности.

Мазур побыстрее забрался назад в кабину, пересел на левое сиденье, навалился всем телом на дверцу, чтобы накренить самолет влево. Прислушался. Бульканье пузырей несколько приутихло — но не прекратилось окончательно. Волнения на море не наблюдалось, но самолетик все же покачивало на водной глади, и вода, пользуясь случаем, заплескивалась в пробоины. А парочка из них, он помнил, оказалась очень уж низко, как ни пытайся кренить самолет, вода туда вливается активнейшим образом...

Ситуация обострялась. Было совершенно ясно, что через какое-то время — ну, предположим, не скудными минутами исчислявшееся — правый поплавок заполнится водой полностью. И самолет, никаких сомнений, накренит так, что он перевернется и пойдет ко дну. А до дна далековато, глубина должна быть приличной. Тонуть на корабле приходилось, а вот на самолете... Хотя в принципе, одинаково скверно.

Нельзя было терять времени даром. Мазур, стараясь придерживаться левого борта, быстренько обшарил кабину, не особенно и превосходившую величиной салон большого автомобиля. В корме отыскалось сразу пять оранжевых спасательных жилетов знакомой Мазуру модели: с надувным воротником, баллончиком сжатого воздуха, двумя ракетами в одном кармашке и пакетом в другом. Судя по надписи на пакете, он предназначался для отпугивания акул — но Мазуру было прекрасно известно, что далеко не каждая акула знала о том, что следует бояться разболтанной в воде химии.

Ну, а что прикажете делать? Выбор небогат. Он проворно напялил жилет, затянул все завязки. Стало чуточку спокойнее на душе — в этих широтах человек в подобном жилете может продержаться на воде не одни сутки — разумеется, ему при этом будет чертовски некомфортно, ну, да тут не до жиру...

Если только не объявятся акулы, настроенные пожрать, — а жрать им хочется, тварям, двадцать четыре часа в сутки.

Он в темпе продолжал инвентаризацию. Отыскалась бутылка виски и полдюжины бутылок пива в сумке-холодильнике — но ни единой емкости с минеральной или газировкой. Должно быть, прежние хозяева самолетика, Мистер Никто и его кореша, подобно младшему братцу А. С. Пушкина считали, что жидкость под названием «вода» годится исключительно для умывания...

Виски Мазур не тронул, но сумку с пивом поставил у левой дверцы, чтобы была под рукой, если придется экстренно прыгать за борт. Лучше уж пиво, чем вообще ничего... Что там еще? Пара пачек сигарет — это, конечно, приберем к рукам. Картонная коробка с полудюжиной ракет — тоже пригодиться. Многозарядный дробовик решительно ни к чему — и Мазур решительно выкинул его за борт. Если придется болтаться по волнам в спасательном жилете, ружье с собой все равно нет смысла брать, а если его спасет какой-нибудь кораблик, гангстерская игрушка может вызвать лишние вопросы и аттестовать потерпевшего бедствие не самым лучшим образом...

Самолетик явственно накренился вправо — достаточно, чтобы это заметить. Поплавок понемногу наполняется водой, в принципе, зная его объем и количество отверстий вкупе с их диаметром, можно вычислить...

Как ни крути, а максимум, на что он мог рассчитывать — полчаса. Потом самолетик булькнет, как помянутый утюг, и покинуть его следует раньше, чем это произойдет. Невезение фантастическое. Тонуть в океане на самолете — согласитесь, есть в этом нечто дурацкое и откровенно обидное...

В целях утоления жажды и успокоения нервов Мазур осушил из горлышка бутылку пива.

Задумчиво покачал в руке опустевший изящный сосудик с бело-зеленой этикеткой. Следуя классическим образцам, можно написать записку, закупорить бутылку и пустить ее на волю волн. Море в таких случаях поступает совершенно непредсказуемо и пошалить любит. Вполне может оказаться, что не далее чем через годик бутылка по прихоти течений и волн объявится где-нибудь в Кронштадте. А может обернуться и так, что она и двести лет спустя будет бултыхаться в южном полушарии. Хватало разнообразнейших прецедентов, по-всякому может выйти...

Он пускал дым в распахнутую дверцу. Декорации были самые безобиднейшие: голубел небосвод, синело море, стоял полный штиль, ярко светило солнышко, не было никакой погони, морские чудища таились где-то в глубинах, ни разу не показался акулий треугольный плавник — и посреди этого благолепия помаленьку заполнился водой правый поплавок, что сулило скорый переход в пловцы...

Гидроплан наклонился сильнее. Ни черта, подумал Мазур, отгоняя тоскливую безнадежность. Бывало и хуже, и все равно как-то выкарабкивались. Места оживленные, в такую погоду в море полно рыбаков, туристических суденышек, в кармане убедительный австралийский паспорт, и никакой розыск не объявлен, нет квалифицированной облавы, целеустремленной погони... Курорт, одним словом. Что же впадать в уныние?

Хотелось еще пивка, но он себе не разрешил — это уже получится не утоление жажды, а излишняя роскошь. Этак и виски захочется — сорт, между прочим, не из дешевых, господа гангстеры себе ни в чем не отказывают. Интересно, как с ними поступит их неведомый хозяин? Будем надеяться, и в самом деле пустит поплавать в бетонных ластах — очень уж неприятный народец, которого нисколечко не жалко. Они...

Мазур подскочил на мягком сиденье, как ужаленный. Выбрался на правый поплавок, уже не обращая внимания на то, что от лишней тяжести он стал погружаться чуточку быстрее. Уставился в море.

Ошибки быть не могло — с его-то отличным зрением. Примерно милях в двух на зюйд-зюйд-вест от дрейфующего гидроплана в океане виднелся прозрачно-серый дымок, означавший, что там двигалось судно. Понаблюдав за ним, Мазур начал всерьез подозревать, что его курс проляжет далеко в стороне. А значит, нужно шевелиться...

Он запрыгнул в кабину, схватил картонную коробку, перелез на левый поплавок и, цепляясь одной рукой за стойку крыла, другой извлек картонный цилиндрик ракеты с ярко-красной маркировкой и подробной инструкцией на английском — не было нужды вчитываться, он и так в этом понимал.

Отпустив стойку, дернул проволочное кольцо на прочном шнурке. Бабахнуло, запахло сгоревшим порохом, высоко в небе распустились пять ослепительно-белых огненных комков и по дуге медленно поплыли в низ. Они еще не успели потухнуть, как Мазур запустил новую, за ней — третью, и так далее, как автомат.

Выхватил ракету из кармашка жилета и дернул кольцо. Запрыгнул в кабину, моментально вывернул карманы остальных жилетов. Высоко над водой вытянулась еще одна цепочка огней, прекрасно различимых даже при ярком солнечном свете.

Время ползло мучительно медленно. Ракет больше не было, а он пока что не мог определить, заметили его на судне, или нет. Впавшее в пессимизм воображение подсовывало унылые картины одна хуже другой: вахтенный оказался недотепой и проморгал, рулевой смотрит в другую сторону, или корабль, такое тоже случается, идет на авторулевом, и никто не смотрит по сторонам... А то и вовсе, контрабандисты, спешащие по своим делам и не склонные отвлекаться на сигнал бедствия...

Ага! Не осталось никаких сомнений — дымок перемещался в его сторону! Он помаленьку рос, двигаясь по прямой линии...

«А ведь у нас еще многое впереди», — обрадованно сказал себе Мазур и на радостях, с хрустом свернув пробку дорогого вискаря, позволил себе добрый глоток.

Примерно через двадцать минут — гидроплан накренился так, что это было еще не опасно, но создавало неудобства — Мазур, не сводивший глаз со своих неизвестных спасителей, начал ощущать некий душевный дискомфорт, и чем дальше, тем ему становилось неуютнее.

Кабельтовых в трех от самолетика застопорил ход боевой корабль, натуральнейший фрегат типа «Линдер» британского производства. Вообще-то их покупали и строили по лицензии еще несколько стран, но Мазур уже отчетливо разглядел за кормой британский «Юнион Джек». «Линдер», никакого сомнения, характерно приподнятая носовая часть, внушительная башня артиллерийской установки — сто четырнадцать миллиметров, к гадалке не ходи и в справочниках не ройся — классическая линдеровская надстройка, труба, радарная башенка, зенитный автомат на корме. Корабли этого типа непременно оснащаются легким вертолетом, но его не видно, определенно пребывает в кормовом ангаре...

Приятная встреча, спасу нет. Особенно учитывая профессию Мазура и его постоянную прописку. Ага, спускают лодку, вот она уже отвалила от серого борта...

А, собственно, к чему уныние? Коли нет ни облавы, ни погони? Наоборот, следует проявить самый неподдельный энтузиазм и от радости прыгать на голове — как и полагается правильному австралийскому парню, спасенному морячками матушки-Британии. Родные люди, можно сказать! Братишечки! Радоваться надо!

Осознав эти нехитрые истины, Мазур заорал что есть мочи, махая в воздухе свободной рукой. Моторка целеустремленно неслась к нему. Пять человек в классической тропической униформе «ройял нэви»: белые шорты и рубашки, белоснежные гольфы и знаменитые британские колониальные шлемы. У того, что восседает на носовой банке, на черных погонах тоненькая золотая загогулина — уоррент-офицер, ихний унтер. Ну, конечно, они должны были издали разглядеть самолетик в мощную оптику, ради такого мирного пустяка никто не пошлет на шлюпке офицера...

Моторка подошла вплотную. На Мазура таращились с беззаботным любопытством. У одного из матросиков, правда, был при себе автомат, но это еще ничего не означало — обычная практика для любого военного флота, мало ли что...

— Ребята! — заорал Мазур с неподдельным энтузиазмом, стараясь приправлять речь самыми что ни на есть австралийскими оборотами. — До чего я вам рад, спасу нет! У меня тут, сами видите, неприятность получилась...

Унтер, глядя на него с тем снисходительным выражением, какое и должен придать себе морской волк при виде подобного штафирки, пробурчал с хваленой британской невозмутимостью:

— Оригинальное место вы, сэр, выбрали для посадки...

— Если бы я выбирал, — сказал Мазур. — Авария случилась...

— Давно?

— С час назад, не больше. В толк не возьму, что стряслось..

Бесстрастно глядя на него, унтер сказал:

— Вы, может быть, не знаете, но у вас чертова уйма пулевых пробоин по правому борту...

Глазастый, с неудовольствием подумал Мазур. Ну конечно, глупо было думать, что военный человек не разберется с ходу в характере пробоин, тем более что они бросаются в глаза, как балерина при полном параде на палубе авианосца...

Хорошо, что оставил револьвер в кабине. Вряд ли они будут самолетик обыскивать. С какой стати? Вокруг — международные воды, у них наверняка нет прямого приказа. Военные всего мира полицейские обязанности выполняют с превеликой неохотой, не раньше, чем получат недвусмысленный приказ. А думать они вольны, что угодно, черт с ними...

— Вы намереваетесь перейти на лодку, сэр, или собираетесь остаться? — поторопил унтер. — Ваш самолет скоро потонет, невооруженным глазом видно...

Мазур проворно перепрыгнул в шлюпку, бормоча все тот же вздор: как он счастлив, как он горд встретить соплеменников, пусть не земляков, но все же, можно сказать, родственников. Одним словом, правь, Британия, морями... Человеку в его положении простительно выглядеть нелепым — более того, нужно срочно предстать вовсе уж безобидным чудаком...

Они в два счета достигли фрегата. С борта свисал обычный трап: канаты и деревянные перекладины. Мазур вмиг взлетел бы по нему, но, разумеется, пришлось карабкаться со всей возможной неуклюжестью...

На палубе их уже дожидался офицер, высокий, костлявый, нельзя сказать, чтобы он был настроен неприязненно, но и явно не собирался хлопать Мазура по спине и с ходу предлагать опрокинуть по стаканчику. Вполне уместное отчуждение. Ничего специфически британского.

Уоррент-офицер с ходу к нему подошел и почтительно принялся шептать что-то на ухо. Глупо было надеяться, что этот служака забудет упомянуть о пулевых пробоинах: Мазур не расслышал ни слова, но не сомневался, что рапорт будет подробнейшим — вид у британского боцманюги соответствующий, службист, бля.

Выслушав рапорт, офицер — как моментально определил Мазур в звании лейтенант-коммандера — небрежным жестом вернул подчиненного на исходную позицию и уставился на Мазура примерно с той же доброжелательностью, с какой он смотрел бы на чаек за бортом. А впрочем, и открытой враждебности не было, и на том спасибо...

— Сэр? — с непередаваемой интонацией вопросил лейтенант-коммандер, ухитрившись вложить в это нехитрое словечко массу интонаций. Мастера все-таки британцы на такие штуки...

— Меня зовут Ричард Дикинсон, я австралиец, — сказал Мазур, словно спохватившись, полез в карман, выудил паспорт и простодушно протянул его офицеру. — Пилот-любитель с личным самолетом, у меня случилась авария...

Офицер, держа книжицу с австралийским гербом кончиками пальцев, *листанул* ее с неприкрытой брезгливостью, всем своим видом давая понять, что он бесконечно далек от каких бы то ни было полицейских обязанностей, унизительных для джентльмена, не имеющего на то служебных полномочий. Вернул. Глядя все так же отстраненно, осведомился:

— Что у вас произошло? Мне докладывают, ваш самолет весь в пулевых пробоинах...

Мазур вытаращился на британца насколько мог придурковато и честно:

— Какое-то роковое недоразумение. Милях в пятидесяти отсюда меня обстреляли с большого белого катера. Я всего-навсего имел глупость над ними снизиться, помахать крыльями... — он глуповато хихикнул. — Там на палубе были две обалденных девчонки в купальниках... А с катера по мне чесанули очередью....

— В этих местах ошивается масса самого разного народа, — сказал офицер без всякого выражения. — Вам следует немедленно заявить в полицию, когда мы достигнем суши, мистер...

— Дикинсон.

— Вот именно. Такие вещи нельзя оставлять без последствий.

Мазур решительно не мог определить, поверили его сляпанной на скорую руку сказочке, или нет. Ну и черт с ними. Сами они следствие по его поводу проводить ни за что не будут —

и в полицию на берегу сдавать не станут, с какой стати? Никаких криминальных сцен с его участием они не наблюдали, оружия при нем не видели, а думать могут что угодно...

— Боюсь, ваш самолет идет ко дну, — сказал офицер, глядя через плечо Мазура.

Мазур обернулся. Действительно, наступал финальный акт незатейливой драмы — гидроплану пришел каюк, из воды торчали левое крыло и поплавок, быстро погружаясь. Еще пара секунд — и осталась безмятежная водная гладь.

— Жаль, — сказал Мазур. — Вот мерзавцы, я это так не оставлю... Дайте только до берега добраться...

— Вообще-то мы идем в Рансевилль, мистер...

— Дикинсон.

— Вот именно. Там, как вы понимаете, мы с вами расстанемся и вы вольны поступать, как вам угодно. На вашем месте я бы, не медля, сделал заявление полиции. А пока что... Позвольте предложить вам гостеприимство, — произнес он с видом человека, нисколько не обрадованного такой перспективой и лишь выполнившего своего рода обязанность. — Вас проводят. Джей!

Рядом, словно чертик из коробочки, возник бравый матрос в том же тропическом исполнении. Лейтенант-коммандер, не меняя выражения лица, показал в сторону Мазура (именно что в сторону, а не прямо на него):

— Позаботьтесь о нашем госте.

И отвернулся к борту, сочтя свою миссию оконченной, а долг морской вежливости — полностью выполненным. Решив держаться в том же стиле — и, например, обойтись без всяких горячих благодарностей вслух — Мазур направился вслед за провожатым. Они пересекли палубу, спустились по трапу.

Мазур практически не смотрел вокруг. Ему было почти что скучно. О фрегатах этого типа он мог и сам рассказать немало — водоизмещение, мощность силовой установки и ее технические характеристики, численность экипажа, скорость, дальность хода и все прочее... Словно столкнулся вживую с человеком, которого до того знал по отличным фотографиям. Конечно, это чуточку щекотало нервы — знали бы найденные бритты, кого пригрели на груди — но особенно предаваться эмоциям не следовало: не к теще на блины пришел, ухо следовало держать востро...

Матрос привел его в чистенькую четырехместную каюту, ничем особенным не отличавшуюся от тех, к каким Мазур привык. Разве что здесь на переборке красовалось не мене дюжины выдранных из журналов для мужчин голеньких красоток. Разболтались они тут, подумал Маузр, присаживаясь на койку согласно приглашающему жесту провожатого. У нас бы за подобные вольности все огребли бы по полной программе, включая командира...

— Сэр, вы уж, пожалуйста, отсюда никуда не выходите, — сказал матрос без малейшей надменности, но непреклонно.

— Вот фокус, — сказал Мазур. — Меня арестовали, что ли? Это за что? Ничего вроде не натворил...

— Здесь военный корабль, сэр, — не моргнув глазом, пояснил матрос. — А вы, как бы это сказать, лицо совершенно постороннее. Железные правила и все такое...

Он лихо отдал честь и вышел. После короткого раздумья Мазур поступил так, как и полагалось всякому нормальному австралийцу: подошел к переборке и принялся вдумчиво разглядывать девиц, улыбавшихся ему кто застенчиво, кто блудливо.

Дверь распахнулась — ну, разумеется, в армии, как и на флоте, стучаться не принято, тут вам не деликатная гражданка. Мазур без всякой поспешности отвернулся от голых девиц. И узрел очередного офицера, сублейтенанта, немногим старше его самого.

Э т о т выглядел совершенно непохожим на того вяленого карася, что встретил на палубе

Мазура. Он улыбался во весь рот простецки и откровенно, он с первого взгляда казался простягой, рубахой-парнем, у него был незамутненный особой работой мысли, почти детский взгляд...

Мазур мысленно подобрался и скомандовал себе боевую тревогу. Все дело в этом младенческом взгляде и простецкой внешности. Знал Мазур одного такого простеца с детскими глазами — Константина Кимовича Самарина, по кличке Лаврик. Незнакомец, голову на отсечение, был его близнецом, разве что форму носил другую...

— Здрасте, — сказал вошедший, пожав руку Мазура так непринужденно и дружески, словно они выпили вместе цистерну пива. — Сублейтенант Доббин, будем знакомы.

— Ричард Дикинсон, — сказал Мазур.

— Австралия, похоже, а?

— Угадали, — сказал Мазур.

— Да что тут угадывать, ясно же... Говорят, у вас и документы в полном порядке?

Он как-то так уставился, дружески и вместе с тем требовательно, что рука Мазура сама собой нырнула во внутренний карман пиджака, появилась оттуда с липовой австралийской ксивой и протянула ее Доббину. Тот перелистнул странички вроде бы небрежно, с видом выполняющего неприятную повинность джентльмена, но его глаза на несколько мгновений из наивных стали прямо-таки рентгеновскими, и Мазур уже не сомневался, с кем его свела судьба. *Ихний* хренов особист. Видно зайца по аллюру. Но какого черта тут делает особист? И в советском, и в британском военно-морском флоте дело еще не зашло настолько далеко, чтобы особист стал штатной принадлежностью корабля подобного класса. Порядки, в общем, не при замполитах будь сказано, во всем мире одинаковые. Если на корабле объявился особист, чувствующий себя здесь совершенно непринужденно, означает это одно: или корабль выполняет некое специальное задание, или он изначально непростой, похожий на своих систер-шипов лишь внешностью...

— Ясно, — сказал Доббин, возвращая паспорт. — Что мы стоим, как на приеме с фуршетом? Садитесь... На гидроплане летели? Он был ваш?

— Ага, — сказал Мазур.

— Любите летать?

— А что тут плохого?

— Да ровным счетом ничего, конечно... Вас, говорят, обидел кто-то? Обстреляли?

— Ну да, — сказал Мазур. — Шарахнули очередью, мерзавцы. Ноги бы повыдергать и бумеранги вставить...

Он не чувствовал себя в безвыходном положении: самолетик со всеми уликами покоился на дне, откуда его никто не возьмется доставать, предъявить ему, собственно, нечего. Особист иначе попросту не может, все равно, наш он, или ихний...

— Что это был за корабль?

— «Корабль» — слишком громко сказано, — пожал плечами Мазур. — Скорее уж маленькая яхта или большой прогулочный катер.

— И назывался он...

— Вот названия я решительно не рассмотрел, — сказал Мазур. — Было какое-то на борту, да, я помню... Но я спустился пониже, чтобы посмотреть на девочек на палубе, а потом, когда в меня оттуда шарахнули очередью, думал только об одном — как бы улепетнуть побыстрее. Где уж там смотреть название...

— Понятно. Сколько человек вы видели?

— Послушайте, — сказал Мазур. — Мне только сейчас в голову пришло... Это что, допрос? А с какой стати?

— Боже упаси, скажете тоже! — вытаращился на него Доббин с тем детским простодушием, что прекрасно знакомо было Маузуру по ухваткам Лаврика. — Я не полицейский, а вы не преступник, ничего такого... Вы на военном корабле, мистер Дикинсон, вот ведь какая штука. Бюрократия, ага. В корабельный журнал положено заносить абсолютно все, что на судне случилось. Обязательно нужно будет написать и про вас: мол, такого-то числа в точке с такими-то координатами спасли терпящего бедствие... И далее столь же подробнейшим образом...

— Я, конечно, терпящий бедствие, — сказал Мазур. — Но я тоже моряк, знаете ли, хоть и цивильный. Что-то я не помню, чтобы в корабельный журнал заносили *такие* подробности...

И, в свою очередь, уставился на собеседника с неприкрытым *пронзительным*, если так можно сказать, детским простодушием.

Сублейтенант Доббин ничуть не смутился.

— Тут вы правы, — сказал он непринужденно. — Скучновато у нас, понимаете, а тут какое-никакое развлечение, вот я и чешу языком, как деревенская кумушка... Моряк, говорите? И много плавали? Много повидали?

— Изрядно, — сказал Мазур.

В *этом* направлении он ничуть не опасался продолжать разговор — мог не мало рассказать о самых разных портах и странах, которые видел своими глазами, с деталями и подробностями, способными усыпить любую подозрительность.

— А чего ж переквалифицировались? Из моряков — в пилоты?

— Вы уж простите некоторую уклончивость, — сказал Мазур, которого как раз осенила неплохая идея, — но мы с компаньонами ищем клад в этих местах, и я бы не хотел вдаваться в детали...

— Бывает, — не моргнув глазом, кивнул Доббин. — Интересное предприятие, я еще мальчишкой мечтал... Я бы и сейчас не отказался, но ведь служба...

Скорее всего, Мазур в его глазах оставался крайне сомнительным типом. Но он словно бы успокоился, самую чуточку — походило на то, что сделал некие выводы. Кладоискатель, в конце концов, порой очень гармонично сочетается с обстрелянным из автомата самолетом — специфическое ремесло, возможны прихотливые повороты сюжета...

— Значит, направляетесь во Флоренсвилль?

— Если вы не против, — сказал Мазур, ухмыляясь.

— Ну что вы, что вы... Надеюсь, там-то у вас не будет никаких проблем?

— Никаких, — сказал Мазур. — Какие там проблемы... Вот когда однажды мой дедушка взялся выкидывать старые бумеранги — бабушка заставила, мол, полон дом хлама — вот у него были нешуточные проблемы...

Доббин весело посмеялся.

— Интересные у вас, в Австралии, должно быть, обычаи... Вы, быть может, есть хотите?

— Не отказался бы, — сказал Мазур искренне.

— Тогда пойдемте.

— Мне тут сказали, чтобы я не выходил из каюты...

— Глупости. Со мной можно. Должны же мы продемонстрировать флотское гостеприимство...

Как очень быстро выяснилось, все флотское гостеприимство свелось к тому, что Мазура накормили в столовой для рядовых, — правда, нужно признать, вкусно и обильно. Потом Доббин, время от времени спрашивая о какой-нибудь ерунде (его вопросики вроде бы не складывались в систему и, надо надеяться, не имели целью поймать на противоречиях) провел его назад тем же путем. Мазур по-прежнему шагал со скучающим видом, не видя вокруг ничего для себя интересного, — что может быть нового и интересного во фрегатах типа «Линдер»?

Дверь одного из помещений, мимо которого они как раз проходили, оказалась распахнутой; Мазур невольно покосился туда, совершенно рефлекторно...

И почувствовал, что его бросило в жар. Захотелось припустить со всех ног. Хорошо еще, что Доббин, метнув на него определенно встревоженный взгляд, постарался моментально, с непринужденным видом дверь захлопнуть. И явно ускорил шаг.

Обошлось, кажется, никто вроде бы внимания не обратил на шагавших по коридору... или успели все же *срисовать*? Знать бы... Окружающее вмиг стало для Мазура враждебным и неприятным.

— Что-то вы осунулись вдруг, — сказал Доббин, когда они подошли к той же каюте, откуда отправились обедать.

— Вот то-то и оно. Только сейчас дошло, в какой передряге побывал...

— Ну, отдыхайте, — сказал Доббин почти участливо. — Из каюты не выходите, ладно? Во Флоренсвилль мы придем самое позднее через час, так что не унывайте...

И вышел. Плюхнувшись на койку, Мазур прижался спиной к переборке, прикрыл глаза. Медленно уходило сумасшедшее напряжение, но тревога осталась.

Там, в той каюте, сидел Бешеный Майк собственной персоной — вполоборота к двери. И те два типа, что встретили их с Лавриком на палубе «Виктории». И еще не менее дюжины точно так же одетых в цивильное крепких мужиков. Вся команда, надо полагать, в сборе...

Значит, вот что. В игру все же вступила *держава*, конкретнее говоря, Британская империя. Присутствие здесь Шора может означать только одно: британцы ему по-джентльменски подсобляют. Самую малость. В пропорцию.

Вряд ли они ограничились тем, что взялись подвезти к месту предстоящей работы. Наверняка пошли до конца и снабдили кое-какими вещичками, вроде тех, что пошли на дно вместе с «Викторией». В таких делах никто не ограничивается полумерами.

Вот почему по кораблю болтается особист... Значит, Британия в игре. Вряд ли решение принято на особенно уж высоком уровне: опыт учит, что достаточно бывает порой решения не очень крупного деятеля, политика, чиновника разведслужбы, военного. Какова страна, таков и масштаб. А поскольку страна размером чуть ли не с танцплощадку...

Расклад не особенно загадочен: кому-то пришло в голову, что следует отреагировать, коли уж возникла угроза имуществу, принадлежащему британским подданным, на территории страны, входящей в Британское содружество. Прецеденты бывали.

Есть сильные подозрения, что фрегату предназначена определенная роль в грядущих событиях. Знаем мы такие дела, сами, бывало, нечто похожее проворачивали быстро и качественно. Фрегат будет подстраховывать. На всякий случай. Ситуация знакомая. При нужде на берег быстренько высадятся десятка два вооруженных матросиков и грамотно *поправят* картину: быстро, эффективно, надежно. Казарма национальной гвардии, скажем, внезапно окажется под прицелом орудийной башни фрегата, она ведь у моря, ребята Шора туда пойдут на моторках... Что-нибудь в этом роде. При некотором навыке такие вещи делаются молниеносно и без напрасных жертв. А опыт у британцев, надо признать, богатейший...

Заметили, или нет? А если заметили, успели узнать, или? Положеньице не из лучших. Стоит Майку заикнуться, при каких обстоятельствах они свели знакомство...

«Морского дьявола» в нем никто, конечно, не заподозрит. Зато в два счета заметут как крайне подозрительную личность, несомненно связанную со смертными гангстерами и прямо причастную ко взрыву «Виктории». И трудненько потом будет из всего этого выпутываться даже с Лавриком за спиной...

Мазур встал, покрутил барашки иллюминатора. Иллюминатор распахнулся легко. Он был достаточно велик, чтобы без особых трудов протиснуться в него, — а вокруг расстилалась необозримая морская гладь.

Да нет, какие глупости... Моторок у них на борту, надо полагать, немало — но и одной-единственной хватит, чтобы догнать пловца. Если нагрянут сейчас, деваться некуда, повяжут, как пучок редиски, и, какую линию защиты ни придумывай, все разобьется о несколько простых вопросов: на «Виктории» были? Про наркотики толковали? Хозяев стращали разными неприятностями? Ну, и как все это сочетается с тем, что «Виктория» после этого визита очень быстро взлетела на воздух? Логика железная, и противопоставить ей нечего. Потому что, если назвать настоящее имя и род занятий, будет в сто раз хуже...

Глава 16
О ходьбе по бабам и прочих интересных вещах

Шлюпка шла к берегу с нормальной скоростью обычной моторки, но Мазуру все равно казалось, что она летит с прытью истребителя. Душа у него пела, смело можно сказать — разудалые цыганские напевы, заливисто и цветисто, с ухарскими вскриками, взвизгами и топотом сапог...

Чрезвычайно походило, что все обошлось. К нему в каюту так и не нагрянули вооруженные джентльмены с бесстрастно-непреклонными физиономиями, никто его не разоблачил, не арестовал и даже завербовать не пытался. Вскоре после того, как фрегат встал на рейде в полумиле от побережья, к нему в каюту заявился Доббин и, похихикивая простецки, выразил обтекаемыми фразами ту простую мысль, что пора и честь знать. Военно-морские силы сделали все, что могли для гражданина Британского содружества наций и надеются, что далее он будет полагаться исключительно на свои силы. Мазур не имел ничего против такого оборота дела. И был отправлен на берег со всем возможным в данной ситуации комфортом — единственным пассажиром шлюпки, управлявшейся тем самым моремaном, что провожал его в каюту.

Следовало, конечно, сделать поправки на империалистическое коварство — но Мазур абсолютно себе не представлял, в чем оно должно в данной ситуации заключаться. И потому, едва шлюпка отвалила от серого борта фрегата, почувствовал себя прекрасно.

Сделав лихой разворот, моряк причалил к пирсу, поодаль от невеликой толпы аборигенов-зевак, для которых неожиданный приход военного корабля был отличным развлечением. Не выключая мотора, коснулся белого шлема:

— Всего хорошего, сэр... и я бы на вашем месте был поосторожнее с воздухоплаванием. Что-то вам с этим ремеслом не везет.

— Обязательно учту, адмирал, — сказал Мазур и прыгнул на причал.

Моторка тут же унеслась, а Мазур преспокойно направился к узкой каменной лестнице, ведущей с пирса наверх.

Он очень быстро узрел Лаврика — тот, в белом костюме, как заправский пижон, торчал у каменной чаши с какими-то синими цветами, украшавшей подножие лестницы. Вид у него был примечательный: не то чтобы отвисла челюсть, но на Мазура он таращился, все еще не в силах отойти от нешуточного изумления. Ну да, видел, конечно, каким видом транспорта Мазур прибыл...

Сначала Мазур в лучших традициях шпионских будней хотел пройти мимо — мало ли что Лаврик тут крутит — но тот проворно шагнул навстречу и, уже справившись с удивлением, сказал как ни в чем не бывало:

— Явился, наконец, Дик...

И молча пошел рядом, временами косясь с непонятным выражением. Так, в совершеннейшем молчании, они поднялись по лестнице, прошли пару кварталов и залезли в то самое такси. Знакомый водитель уже совершенно по-свойски ухмыльнулся Мазуру и резко взял с места.

— Эт-то как понимать? — осведомился Лаврик.

— Что именно? — спросил Мазур с самым дурацким выражением лица.

— А то, что ты раскатываешь на британских фрегатах.

— Ну, и что тут такого? — спросил Мазур безмятежно. — Ты что, не знал, что я свой человек в королевском флоте? Попутка есть попутка. В конце-то концов, не вижу причин, почему бы благородным британским донам не подвезти австралийского дона, можно сказать, земляка. Все мы, и британцы, и австралийцы, дети одной матери, то бишь Альбиона...

— Нет, но каким образом...

— Они меня подобрали в открытом море, когда я тонул, — сказал Мазур. — По-твоему, нужно было идеологически выдержанно отказываться от спасения и добираться до Флоренсвилля вплавь? Далековато, знаешь ли, даже для супермена...

— На чем — тонул?

— На самолете, — терпеливо сказал Мазур. — Самолет тонет легко.

— А самолет где взял?

— Ну, не купил же, — сказал Мазур. — Угнал, конечно. Ты не переживай, хозяева все равно в полицию не пойдут. — Он ухмыльнулся. — Лаврик, я тебя, конечно, разочарую, но Интеллидженс Сервис меня так и не завербовала. Обидно даже... А вообще...

— Ох, да помолчи ты, — сказал Лаврик со страдальческим выражением лица. — События несутся вскачь, а ты тут снова влипаешь в дурацкие приключения...

— Терпеть не могу приключений, — сказал Мазур. — Всю жизнь их избегал. Нет никаких приключений, а есть лишь будни, в которые нас загоняет жизнь...

— Шор со своей бандой прибыл на фрегате. Я точно знаю.

— Я тоже, — сказал Мазур, мгновенно став серьезным. — Я их там видел, а вот они меня — нет, иначе, легко догадаться, я бы с тобой тут не сидел... В общем, случилось вот что...

— Потом, потом, — досадливо махнул рукой Лаврик. — Тебе все равно дома отписываться... Успеется. События, говорю тебе, галопом рванули. Шор с темнотой переедет на берег — и, я подозреваю, это означает, что завтра утречком они и начнут: с их-то опытом для рекогносцировки достаточно пары часов, ночной порой. Не атомную станцию будут брать, в конце-то концов... Так что времени у нас нет. И на шее у нас, кроме всего прочего — еще и этот чертов фрегат.

— Тоже мне, препятствие, — сказал Мазур без тени легкомыслия. — Есть задумки и по поводу фрегата — дешево, эффективно и совершенно незаметно для окружающего мира... Чего мы летим как на пожар?

— У тебя дома с утра торчит этот чертов Хью, — сказал Лаврик. — То уедет, то вернется, то торчит на кухне, то в машине у дома сидит. Сигарет извел — страсть. Волнуется. А поскольку он трудами кое-каких знатоков своего дела до сих пор свято уверен в том, что именно ты и сеть правая рука Шора, дело совсем интересным становится. Не в силах я уже на него смотреть, душа от любопытства на части рвется, но меня-то он ни за кого такого не держит, не подойдешь и не спросишь...

— Тут вот еще какая загвоздка... — сказал Мазур, спохватившись.

Он кратенько рассказал про ссору с Мистером Никто и его ребятками. Но Лаврик, судя по лицу, особого значения этому и не придал. Сказал рассеянно:

— Да ерунда, в общем. Если они сюда сунутся, их тут так встретят, что мало не покажется. Да и вряд ли они оказались настолько предусмотрительны, что выясняли еще и твой здешний адрес. Пока будут искать... Чует моя душа, что — опоздают. Сто против одного за то, что *акция* будет завтра.

Водитель остановил такси неподалеку от «Ниагары», спокойно прокомментировал:

— Ага, тачка снова здесь. Значит, ждет...

— Давай, в темпе! — подтолкнул Лаврик. — Я буду в «Рыбачке», давай туда, как только...

Мазур вылез. Прямо под обветшавшей вывеской «Ниагары» стояла синяя английская малолитражка, нечто вроде ихнего «Запорожца» — надо полагать, машина Хью.

Дверь черного хода оказалась, конечно же, не заперта. Войдя, Мазур прислушался. В кухне что-то монотонно и наставительно бубнил мистер Джейкобс — значит, имел перед собой слушателя, не имевшего возможности сбежать. Ухмыльнувшись, Мазур сделал шаг в ту сторону, но тут вверху хлопнула тяжелая дверь, по лестнице энергично сбежала Гвен и бросилась ему на шею: нельзя сказать, чтобы особенно уж пылко и романтично, но именно что бросилась на шею, расцеловала и радостно сообщила:

— Я без тебя чертовски скучала...

Надо же, подумал Мазур. Какое потрясающее впечатление я произвел на эту милую крошку, обожающую рассовывать по чужим комнатам микрофоны...

— Я тоже очень рад тебя видеть, — сказал он, отвечая на объятия и по-свойски похлопывая истомившуюся подругу и по талии, и не совсем. — Соскучился, честно...

Она, покосившись на кухонную дверь, шепнула:

— Там тебя с утра добивается какой-то странный тип, утомил уже...

Монотонное бурчанье в кухне смолкло, и в коридоре объявился собственной персоной меланхоличный Хью. На сей раз он прямо-таки лучился от радости, искренней, точно — а потому походил не просто на вяленую воблу, а воблу веселую, если такое вообще возможно.

— Господи, Дик, ну вот и вы, наконец! — воскликнул он с энтузиазмом. — Мисс, тысяча извинений, но у меня невероятно важное дело. Дик, я говорил со штурманом, а он говорил с капитаном. Дело, можно сказать, улажено, и мне бы хотелось...

Он недвусмысленно показал глазами на входную дверь. Мазур понял моментально. Улыбнулся Гвен:

— Я ненадолго, это насчет той работы...

Подхватил Хью и вместе с ним вывалился на улицу, прежде чем девушка успела опомниться. Оглянулся.

— Ко мне в машину, — сказал Хью.

В его машине было примерно так же удобно сидеть, как в стиральной машине, но Мазур терпел, подтянув колени к подбородку. Хью тихонько сообщил:

— Сначала я звонил, но эта вертихвостка отвечала, что представления не имеет, когда вы вернетесь... Я приехал сам... Не было другого выхода, я как на иголках...

— Что стряслось?

— Ничего. Он пойдет к ней сегодня.

— Кто? — не сразу сообразил Мазур. — К кому?

— Господи ты боже мой! Аристид. К своей любовнице. Я же вам тогда говорил, на Сент-Каррадине...

— Я помню, помню... Риверс-роуд, дом пять, квартира шестнадцать, верно?

— Абсолютно. Он придет в одиннадцать вечера, как обычно, у него устоявшиеся привычки. На сей раз с ним будет сержант в штатском, в последнее время Аристид стал принимать нечто похожее на меры безопасности... Сержант — мой человек. Он мне тут же рассказал. Сообщите Майклу, немедленно. Задача, по-моему, упрощается. Если аккуратненько *принять меры* этой же ночью, завтра все будет гораздо проще...

Пытливо глядя на него, Мазур усмехнулся:

— У меня есть подозрения, что Майк при таком благоприятном раскладе может поддаться соблазну и решить проблему самым простым и радикальным способом...

— Ну и что? — чистым, незамутненным взором уставился на него Хью. — Так будет гораздо проще — вам, мне, всем...

Ах ты ж, сволочь, ласково подумал Мазур. Это ж как-никак твой президент, гадюка, ты ему верно служить должен... как и закону, кстати, а ты его только что, со спокойной совестью.. Вряд ли дело тут в идеях — какие, к дьяволу, идеи в подобной ситуации? Тебе тоже посулили, конечно, отстегнуть денежек, а то и уже дали, вот и лезешь вон из кожи. Неудачник, к гадалке не ходи, иначе не торчал бы в свои годы на мелкой полицейской должности на этом островке. Неудачник, а то и припачканный грешками прошлой жизни...

— Я передам, — сказал он убедительно. — Нынче же. Все будет нормально. Ваш сержант будет караулить у двери?

— Да что вы! Всего-навсего проводит его до дома и отправится восвояси. О н а одна в квартире, вы это тоже учитывайте.

— Обязательно, — сказал Мазур не без некоторой брезгливости. — Спасибо, Хью, что бы я без вас делал... Всего наилучшего!

Он вылез, захлопнул за собой крохотную дверцу. Задумчиво насвистывая, вернулся в дом. Гвен ждала его на том же месте.

— Послушай, — сказала она решительно. — Надо поговорить.

Мазур тоскливо вздохнул про себя: всякий раз, как с ним здесь собирались поговорить, означало это очередные жизненные хлопоты и новую порцию грязных тайн. Единственным приятным исключением оказалась принцесса, да еще мистер Джейкобс разве что...

— Ладно, — сказал он. — Пошли. Ко мне или к тебе?

— Ко мне.

Она стала первой подниматься по лестнице, нетерпеливо оглядываясь так, словно опасалась, что Мазур сбежит. Похоже, ей как и Хью, было невтерпеж. Ну, посмотрим...

Тщательно прикрыв дверь, Гвен повернулась к нему, скрестив руки на груди. Она старалась казаться безмятежной, но Мазур все же подметил некоторое волнение.

— Послушай... — сказала она. — Ты, главное, не беспокойся, я тебе не враг... Черт, как бы сформулировать... Вы уже назначили дату?

— Дату — чего? — не моргнув глазом, спросил Мазур.

— Переворота.

На его лице, как давным-давно принято писать в шпионских романах, не дрогнул ни один мускул. Стоя вольно и глядя на нее с беспредельной наивностью, Мазур картинно пожал плечами:

— Какой еще переворот? Ты меня с кем-то перепутала, родная, я мирный морячок, в жизни переворотов не устраивал, понятия не имею, что это за развлечение такое...

— И Майкла Шора тоже не знаешь?

— Был в Гонолулу боцман с таким именем, — сказал Мазур. — Если ты о нем...

— Дик, я тебя умоляю! Можешь ты отнестись ко мне серьезно?

— Что за вопрос, каждую ночь... — сказал Мазур.

— Да хватит тебе! Я прекрасно знаю, кто ты такой и зачем вы сюда приехали. Майк Шор будет свергать президента...

— Фантазия у тебя... Ты сегодня никаких таких порошочков не вынюхивала?

У Гвен был такой вид, словно она прикидывала, чем именно из окружающего интерьера его качественно огреть по башке.

— Я понимаю, — сказала она сердито. — Ты что угодно можешь подозревать... Сам подумай: если бы я представляла какую-нибудь разведку, вряд ли бы вы и дальше разгуливали свободно по этому райскому островку...

Мазур ухмыльнулся:

— А почему бы нам, собственно, и не разгуливать? Есть какие-то улики или свидетельские показания?

— Черт! — сказала она с досадой. — Я не знаю, как вести разговор... Пойми ты, я прекрасно знаю, кто ты такой. Мои шефы давно вычислили Хайнца, он как-никак личность со специфической известностью. Потом нас на тебя вывели...

— Интересно, — сказал Мазур. — «Шефы», «вывели»... Классический жаргон спецслужбы.

Она огрызнулась:

— И вдобавок — классический закон журналистики, болван! Я журналистка, понятно тебе? Телекомпания «Кей-омега-семь», Массачусетс... Ясно?

А ведь это кое-что объясняет, если не все, подумал Мазур. Непрофессиональную слежку, допотопный по меркам опытных шпионов микрофон...

У него просто не было времени вести изощренные психологические игры — нужно было срочно поговорить с Лавриком касаемо последних новостей от унылого полицая. Да и не был он мастером изощренных психологических игр. Пусть Лаврик старается, это его епархия...

Зловеще усмехнувшись, Мазур в развалочку подошел к ней, не торопясь, взял большим и средним пальцами за нежную шейку, пониже подбородка. Сказал без улыбки:

— Вообще-то я с интересом твои фантазии слушаю... А тебе не приходило в голову, что, окажись все правдой, шустрая девочка вроде тебя... — он помедлил, вспомнил Мистера Никто, — может отправиться в плаванье в бетонных ластах?

— Но это же не по правилам! — воскликнула она без всякого страха, скорее с нешуточной обидой. — Я не шпионка, я журналистка. Журналистов обычно не приятно трогать...

— Ну да?

— Вот именно! Думаешь, я не помню, сколько интервью давал ваш Майк? Всем нужна реклама, и ему тоже, это известность, а значит, деньги, заказы... Ты что, никогда с этим не сталкивался?

Самое смешное, что нет, сказал себе Мазур. Нас качественно и подробно знакомили с работой парней типа Майка: обычная тактика, конкретные примеры, вооружение и тому подобное. Об их отношениях с прессой и речи не шло: мы ведь не разведчики, нас интересует совершенно другое.

Вообще-то краем уха он об этом кое-что слышал — из мирных насквозь гражданских источников. Знаменитый в свое время Конго-Мюллер даже в телепередачах снимался, а Дентор интервью раздавал направо и налево... Пожалуй, в том, что она говорит, есть своя логика. Подыграть нужно, а?

— И что же тебе нужно, прелесть моя? — спросил он, убрав пальцы с нежной шейки.

— Сведи меня с Майком. Время, я думаю, еще есть. Боже упаси, я вовсе не собираюсь лезть в ваши секреты! Я просто хочу оказаться в нужное время в нужном месте, чтобы стать там единственным репортером. И чтобы наша кинокамера была единственной.

— Ага, — сказал Мазур. — Кое-что проясняется. Значит, этот хмырь, что висел у меня на хвосте крайне неумело...

— Мой оператор.

— И микрофон ты мне подсунула?

— Ты его нашел? — искренне удивилась Гвен.

— Есть некоторый опыт... — скромно усмехнулся Мазур.

Из чистой деликатности Мазур не стал уточнять, по каким побуждениям она его затащила в постель — это и так лежало на поверхности:

мол, мы ж теперь не чужие, милый... Бабы везде одинаковы, порожденье крокодилов, как выражался четыреста лет назад бессмертный бард...

— А если я тебя пошлю к чертовой матери? — поинтересовался Мазур.

Она прищурилась:

— Дик, мы — не самая известная и крутая телекомпания, но и не крохотная. У меня какникак задание, и от него многое зависит в моей собственной карьере... В общем, вам бы наверняка не понравилось, если бы сегодня же в эфир пошла сенсация: что на Флоренсвилле объявился Майкл Шор со своей командой, а это, учитывая кое-какие хитросплетения местной политики, может означать только одно... Вам, думается, преждевременная огласка ни к чему?

Ах ты, стервочка, ласково подумал Мазур. Вот он, звериный лик падкой на сенсации буржуазной прессы. Принесло ж тебя на мою голову...

— Кроме меня, есть и другие, которых вы не знаете, и они все поголовно вне досягаемости... — сказала Гвен с ангельским видом, медовым голосочком. — Подумай сам, какой из вариантов проще — душить меня до смерти и ломать потом голову, что делать с трупом, или попросту свести меня с Майком?

— А ты уверена, что он станет с тобой разговаривать?

— Ты, главное, меня с ним познакомь, а дальше уже — мои проблемы...

— А ведь ты не такая спокойная, как пытаешься казаться, — усмехнулся Мазур. — Нервничаешь все же... Прекрасно понимаешь, что тебе могут и головенку открутить... и все равно, рискуешь лебединой шейкой?

— Такова жизнь, — сказала она решительно. — Чтобы вскарабкаться повыше, приходится рисковать всерьез. Хочешь сказать, ты по-другому живешь?

— Да нет, примерно так же, — сказал Мазур. — Потому я тебя до сих пор и не придушил, а слушаю внимательно... Ладно. Сама понимаешь, мне нужно кое с кем посоветоваться, сам я ничего не решаю. Сейчас я поеду, расскажу кому следует...

— Только непременно возвращайся, — тем же ангельским голосочком сказала Гвен. — Потому что, если ты сегодня не вернешься, я буду думать, что ты от меня попросту смылся, — и, будь уверен, в эфире завтра же грохнет та самая сенсация...

Она невинно улыбалась, склонив голову к плечу, и Мазур чувствовал, что чертовка нисколечко не шутит.

— Не беспокойся, — сказал он тихо. — Обязательно вернусь.

Спускаясь по лестнице и быстрым шагом

направляясь к дому, где снимал комнату Лаврик, он подумал, что разведчиков, по совести, озолотить нужно. И на руках носить. Легко бегать с автоматом наперевес по разным экзотическим местам, стрелять, подкладывать бомбы и сворачивать шеи — а попробуй-ка поживи с годик посреди подобных забав и психологических дуэлей, интриг и прочего... Всего несколько дней таких развлечений — и ты уже мокрый, как мышь, от всех этих сложностей, которые ни за что не решить прямым в челюсть и выстрелом в упор... Пожалуй, надо быть к Лаврику снисходительнее, несмотря на все его фокусы и придумки...

Лаврика он увидел перед домом — тот стоял рядом с такси, откуда сверкнул зубами их бессменный водитель.

— Садись, — сказал Лаврик. — По дороге расскажешь. Не хочу пропустить редкостное зрелище... Что там твой полицай?

— Президент сегодня попрется к своей бабе, — сказал Мазур, усаживаясь рядом с ним и захлопывая расшатанную дверцу. — Хью, гнида этакая, определенно считает, что Майку следовало бы ради упрощения задачи его потихонечку пристукнуть на той квартире — а вместе с ним и девку, конечно, чтобы свидетелей не осталось.

— Логично, — сказал Лаврик рассеянно. — Так, конечно, гораздо легче — утречком грянет переворот, а главное кресло пустует, и некому сплачивать нацию и отдавать приказы насчет отпора проискам...

— А если его действительно кто-нибудь грохнет на той квартире? — озабоченно спросил Мазур. — Вокруг этих чертовых отелей уж столько народу толчется, что скоро друг на друга натыкаться будем...

— Тоже верно. У тебя все?

— Нет, — сказал Мазур. — Эта моя стервозная соседка оказалась...

Эту часть рапорта Лаврик выслушал еще рассеяннее, Мазур ощутил даже некоторую обиду.

— Ну, по крайней мере, это все объясняет, а? Все любительские странности...

— Но надо же что-то делать?

— Ты, главное, не волнуйся, — сказал Лаврик, полулежа на ветхом сиденье. — Всех разоблачим и всех поборем... Дай подумать.

Пожалуй, он вовсе не был рассеянным — он о чем-то сосредоточенно думал со знакомым уже просветленным выражением иконописного ангела — а значит, готовил очередное изящное коварство. Сообразив это, Мазур больше не встревал и тоже молчал до самой набережной.

Они неторопливо спустились вниз по каменной лестнице. Там все еще толпились зеваки, но теперь обстановка изменилась: любопытствующие далеко раздались в стороны, освободив значительное пространство, а на немаленьком пустом пространстве старательно приплясывала, что-то монотонно нудя себе под нос, крайне экзотическая фигура.

Это был пожилой негр, худющий, как смерть, облаченный лишь в набедренную повязку из ярко-красной ткани, довольно-таки чистой. В колтуне позабывших расческу волос торчали разноцветные попугайские перья, тонкие кости и какие-то щепки, на шее ритмично звякая в такт топтанью и пируэтам, болталась связка непонятных железяк, частью ржавых, частью покрытых ядовитой зеленой окисью.

Зрители взирали на него почтительно, в совершеннейшем молчании — не только черные аборигены, но и белые. Туристов тоже набралось немало, но они, подчинившись общему настрою, помалкивали.

Ах, вот он кто, догадался Мазур. Бокор, натуральный колдун из здешней чащобы. О них тут втихомолку рассказывают всякие страсти и боятся по-настоящему... Точно, классический бокор, как на картинке...

Колдун проворно выхватил из висевшего на плече мешочка горсть желтой пыли и, широко размахнувшись, пустил ее по ветру в море. Ближайшие отодвинулись, чтобы не попало на них, и Мазур инстинктивно последовал их примеру. Не то чтобы он на сто процентов верил во все это осужденное материализмом мракобесие, но за время своих странствий и в Африке, и на далеких экзотических островах встречал похожих субъектов, творивших порой такое, что никакой ловкостью рук не объяснишь, и на шарлатанство не спишешь. Темное это дело, одним словом, поосторожнее нужно...

Пыль развеялась в воздухе. Вытянув руки прямехонько к серому английскому фрегату, колдун заорал что-то. Мазур его понимал с трудом: не самый лучший английский вперемешку с каким-то здешним жаргоном чернокожих. Но кое-что уловил: сей колоритный шаман объявлял собравшимся, что, по его глубокому убеждению, эта железная рыба приплыла не с добром, а потому он на нее вот прямо сейчас, в присутствии добрых людей, в два счета наведет (порчу? проклятье? ну, а в общем, что-то вроде или все вместе...).

В завершение эмоциональной речи он достал из того же мешочка длинную, добротно высушенную рыбку, поднял ее на ладонях, картинно переломил пополам. Рыбка треснула, как сухой сучок, превратившись в два негнущихся обломка, которые колдун выкинул в море, сопровождая эту нехитрую процедуру подробным комментарием: мол, как сгинула эта рыбка, так несчастье падет на злую железную рыбу... Короче, кто не спрятался — я не виноват.

Он замолчал, потом, без всякого перехода, развернулся и величественно пошел на моментально расступившихся зрителей. Лицо у него было морщинистое, бесстрастное, а глаза — отрешенными настолько, что, по мнению Мазура, без какой-нибудь пригоршни сжеванных мухоморов тут не обошлось...

Лаврик смотрел вслед колдуну, умиротворенно улыбаясь, с видом полнейшего довольства собой.

— Впечатляюще, верно? — тихонько спросил он Мазура. — В пятьсот долларов мне этот джинн из бутылки обошелся, не считая дороги и пропитания, а пожрать он горазд, и виски со страшной силой любит...

— А на кой? — спросил Мазур.

— А так изячнее, — сказал Лаврик, мечтательно улыбаясь. — Здешний народец еще до заката растреплет по всему городу про все, что видел, приукрасит и преувеличит. Теперь можно на фрегат хоть торпеду пускать, никто и не удивится. Ну, разумеется, насчет торпеды я в шутку — нет у нас инструкций войнушку здесь устраивать...

— А какие у нас инструкции, если не секрет? — спросил Мазур.

— Прежние, — сказал Лаврик. — Кровь из носу, сорвать империалистический переворот, направленный против президента, задумавшего прогрессивные реформы. Причем проделать это, вплоть до заключительного этапа, без малейшего шума. И знаешь, что мне пришло в голову? Ты совершенно прав. В нынешней непростой ситуации, когда президент страны в одиночку отправляется на блудоход, его может зарезать или всячески изобидеть кто угодно. А это будет неправильно. Категорически неправильно...

Глава 17
Президент и его друзья

На высокой старинной двери с резными филенками не обнаружилось никаких признаков глазка, что задачу облегчило до смешного. Переглянувшись с Мазуром насмешливо и весело, Лаврик поднял руку и позвонил в дверь — короткой трелью, вполне деликатно, без грубого полицейского напора.

Поскольку время почти совпадало с «точкой рандеву», хозяйка дверь распахнула чуть ли не моментально, успела еще что-то недоумевающе пискнуть без всякого страха — а в следующий миг они ворвались в прихожую уже далеко не так деликатно. Лаврик в хорошем темпе *прижал* хозяйку, так, чтобы не повредить хрупкому созданию, но и полностью воспрепятствовать таковому издавать звуки. Мазур с тем же отработанным проворством пронесся мимо них и моментально осмотрел все три комнаты.

Нигде не обнаружилось посторонних индивидуумов. Обширная спальня, выдержанная в розовых тонах, была надлежащим образом подготовлена для приема на высшем уровне: угол кружевного одеяла призывно откинут невесомым треугольником, на столике у изголовья шампанское в ведерочке со льдом, ваза с фруктами, конфеты и прочая дребедень.

Цинично ухмыльнувшись, Мазур вышел из уютного гнездышка, которому сегодня предстояло пустовать. Посторонился — Лаврик, как истинный рыцарь, внес туда на руках бесчувственную хозяйку, которую успел уже попотчевать какой-то химией. Уложил ее на постель, галантно одернул синий халатик, чуточку прикрыв стройные ноги, отступил на шаг, полюбовался делом рук своих, кивнул:

— Полная и законченная икебана.

Девица безмятежно дрыхла: цвет лица нормальный, дыхание в норме, никаких признаков плохой переносимости препарата, а также побочных явлений. За эту сторону дела можно было не беспокоиться.

Из любопытства Мазур шагнул назад в спальню, присмотрелся. Белая, молоденькая, классический набор прелестей: ноги от ушей, аппетитные грудки, фигурка гитарных очертаний и все такое прочее. Мечта и идеал стареющего ловеласа, ничего интересного.

— Ну, не педераст, по крайней мере, — хмыкнул Лаврик за спиной. — Выдвигаемся, время...

Они вышли в прихожую, расположились у высокой двери. Не было особого азарта и воодушевления — работа, если честно, предстояла не особенно и сложная. Хотя нетерпение, конечно, присутствовало: все могло сорваться, пойти наперекосяк, в таких делах возможен целый набор самых невероятных случайностей...

А потому они испытали нешуточное облегчение, когда мелодично мяукнул звонок: короткий-длинный-короткий. Условный сигнал, о котором их и предупреждали. Пупсик явился к своей цыпочке. Теоретически рассуждая, там, на лестничной площадке, могли вместо старого потаскуна оказаться несколько хмурых ребятишек с автоматами наголо, но это уже детали...

Распахнув дверь энергичным пинком, Лаврик ухватил за галстук позднего гостя и головой вперед наладил его мимо себя в глубь квартиры. Мазур молниеносно отпрянул на площадку. Там стояла тишина и не было ни души. Успокоенный, он вернулся в квартиру, заглянул в большую гостиную.

Лаврик как раз, ухватив президента за шиворот и согнув в три погибели, коленом придал должное ускорение — и мистер Лайнус Аристид, ученый профессор и почетный доктор зарубежных университетов, враскорячку улетел в угол, где и остался валяться в унизительной позе.

Мазур взирал на все это с философским равнодушием. Подобное обращение с сановными особами для него не было чем-то новым. Он прекрасно помнил, как лет несколько назад Лаврик могучим пинком под зад забрасывал в угол не то что президента крохотного острова, а взаправдашнего африканского короля (правда, захудалого). И ничего, обошлось, никто не посылал потом дипломатических нот. Сам Мазур в это время прикладом автоматической винтовки увещевал королевских министров, в том числе и тамошнего фельдмаршала. Так что дело знакомое...

Президент Аристид скорчился в углу, взирая на них с неподдельным ужасом и нешуточным удивлением: как и подобает человеку, отправившемуся провести приятную ночь с доступной красоточкой, а вместо этого напоровшегося в любовном гнездышке на бесцеремонных субъектов, с ходу взявшихся его кантовать без всякого уважения к занимаемой должности.

Мазур разглядывал его с любопытством. Президент, в общем, как две капли воды походил на свои многочисленные портреты. В нормальном своем состоянии, не будучи смертельно испуган, он должен выглядеть импозантно и авторитетно: пожилой негр с интеллигентным лицом, благородной проседью и аккуратно подстриженной бородкой, в белоснежной тройке, при светло-синем галстуке и лимонно-желтой орхидее в петлице.

Лаврик принес из прихожей оброненный президентом во время его энергичной транспортировки букет цветов, вложил в руку оцепеневшему от ужаса лидеру нации, отступил на шаг и склонил голову к плечу.

— По-моему, неплохо, — сказал он светским тоном. — Он прекрасно гармонирует с обоями, а букет удачно довершает композицию... Как по-вашему?

— Вы совершенно правы, мой друг, — сказал Мазур. — Я, конечно, не эстет, но данная композиция и в самом деле не лишена определенного изящества... Между прочим, я где-то уже видел эту рожу. Право же, видел...

Лаврик присмотрелся, изобразил на лице усиленную работу мысли. Хлопнул себя по лбу:

— Ну как же! Провалиться мне на этом месте, если это не здешний президент!

— Быть не может!

— Честное слово, мой друг, — сказал Лаврик. — У них тут, да будет вам известно, и президент имеется, как у больших... Мало того, не просто президент, а одержимый манией реформаторства и национализации...

Президент, судя по его лицу, все еще пытался себе внушить что спит и видит дурной сон — но, похоже, в это уже не верил. Мазур не испытывал к нему ни малейшей жалости, одно раздражение. Он давно уже вышел из того возраста, когда крушение иллюзий причиняет душевные неудобства, но все равно, разочарование было нешуточное: перед ними был субъект, вознамерившийся под прикрытием пышных словес о благе народном хапнуть изрядное количество долларов — и приходилось его старательно спасать от неприятностей, оберегать от невзгод... По крайней мере, следовало, воспользовавшись моментом, получить хотя бы моральное удовлетворение: в полученных ими приказах никак не уточнялось, что спасаемый президент должен находиться в наилучшем расположении духа...

— Вы с ней ничего не сделали? — трагическим голосом воскликнул Аристид.

— С крошкой? — пожал плечами Лаврик. — Старина, мы же не извращенцы какие-нибудь. Приличные люди.

Президент попробовал придать себе гордый и властный вид — из чего, разумеется, ничего не получилось — и сообщил:

— У нас, знаете ли, имеются законы. И то, что вы только что сделали...

— А ногой по рылу? — невежливо прервал Лаврик.

Президент моментально умолк, окончательно уяснив свое положение. Помолчал немного и осторожно поинтересовался:

— Кого вы представляете, и что вам нужно?

— Мы? — спокойно переспросил Лаврик. — Мы с приятелем — просто любопытные люди. Проходили мимо и решили воспользовавшись удобным случаем, поглазеть на человека, решившего в одночасье срубить миллиончик баков...

— Сколько вы хотите? — без малейшего промедления вопросил Аристид. — Я мог бы для начала предложить сто тысяч...

— Люблю я ученых людей, кабинетных крыс, — громко сказал Лаврик Мазуру так, словно они тут были только вдвоем. — Посмотришь со стороны — недотепа недотепой, в презренной прозе жизни совершенно не ориентируется, суп вилкой трескает. А этот книжный червь тем временем успел обмозговать великолепную комбинацию и придумать, как ему кучу денег заработать без всяких хлопот. Сволочь, конечно, но ведь пройдоха... Слеза от умиления наворачивается.

Аристид собрался было что-то сказать, наверняка снова предложить денег, но не следовало затягивать развлечение, мало ли какая неожиданность могла случиться — и Лаврик, одним движением оказавшись рядом с загнанным в угол в прямом и переносном смысле главой суверенного государства, нагнулся над ним, в его руке мелькнул овальный баллончик, и на пол отлетел пластиковый чехольчик от шприца-тюбика. Мазур не пытался помогать — некоторые вещи Лаврик и в одиночку проделывал виртуозно.

Все прошло в лучшем виде. Лаврик выпрямился с пустым шприцем, спрятал его в карман, предусмотрительно подобрал и колпачок, подтянул ногой вычурный стул, уселся на него верхом, закурил, с холодным профессиональным интересом наблюдая за клиентом.

Аристид менялся на глазах. Очень быстро его физиономия как-то неуловимо *потекла*, он не уснул, но переменился неузнаваемо, словно не мог теперь управлять ни мимикой, ни общим выражением лица. Хотел что-то сказать — и получилось несвязное бормотанье с текущей по подбородку слюной. Попытался встать — и его повело вбок так, что он едва не распластался на полу.

— Когда уснет? – нетерпеливо спросил Мазур.

— А он и не уснет, — ответил Лаврик, не оборачиваясь. — Так надежнее. Полностью бесчувственное тело может и внимание привлечь, а так... Самое забавное, знаешь ли, что клиент практически в ясном сознании. Все слышит, что вокруг происходит, все понимает прекрасно. Только членораздельно ни слова вымолвить не сможет, и координацию потерял напрочь...

— А это не опасно? — осторожно спросил Мазур. — Вдруг он, не дай бог, возьмет да и того...

— Наука не допустит, — авторитетно ответил Лаврик. — Совершенно безопасная химия.

— Так что, взяли?

— Подожди, — сказал Лаврик. — В природном виде его транспортировать не годится, он на себя прежнего еще похож... Дай-ка сумку, подгримируем...

Мазур проворно принес из прихожей его холщовую сумку, ожидая, что из нее будут извлечены очередные хитроумные приспособления или по крайней мере хитромудрая химия. Однако Лаврик извлек оттуда самые прозаические вещички. Содрал с президента белоснежный стильный пиджак и напялил вместо него черный френч какого-то торгового флота: с украшенными якорьками пуговицами, несколькими золотистыми полосками на рукавах и непонятной эмблемой справа на груди, вышитой желтыми нитками: снова якоря, какие-то зигзаги, веночек из листьев неизвестного дерева... На голову повязал ярко-красный платок, комментируя:

— Узел точно над правым ухом, как у ируканских пиратов... Теперь бутылку давай.

Мазур, с хрустом скрутив колпачок, протянул бутылку виски. Президента щедро полили благородным напитком, даже за пазуху плеснули, развязав узел галстука. Аристид что-то мычал и пытался выдираться, но, как и предсказывал Лаврик, лишь совершал хаотичные, совершенно нескоординированные движения. В глазах у него стоял неприкрытый ужас, но Мазур не испытывал ни капли жалости.

Педантичный Лаврик сходил в спальню, вернувшись, поведал:

— И там все в порядке, крошка дрыхнет без задних ног, и мордашка умиротворенная, словно ей очередной подарочек от хахаля снится... Пошли?

Они быстренько протерли носовыми платками все, чего касались и могли коснуться, отхлебнули из бутылки по доброму глотку для создания соответствующей атмосферы разгула, подхватили не способного держаться на ногах вертикально президента и преспокойно покинули квартиру. Вышли на ночную улицу — тихую спокойную улочку фешенебельного квартала.

Шагавший впереди Мазур помахивал бутылкой, как дирижерской палочкой и с чувством распевал — вполне прилично, без ненужной дури:

— O why the deuce should I repine,
and be an ill foreboder,
I'm twenty-three, and five feet nine,
I'll go and be a solger...*

---

* На черта вздохи — ах да ох!
Зачем считать утраты?
Мне двадцать три, и рост неплох —
шесть футов, помнится, без трех.
Пойду-ка я в солдаты!

Роберт Бернс

За ним Лаврик, временами все же петляя, почти волоком тащил президента. Аристид в нынешнем своем виде, помятый и благоухающий виски на кабельтов, и в самом деле как две капли воды напоминал пьяного в стельку боцмана из-под какого-нибудь экзотического флага. Картина для острова была насквозь привычная и не вызывавшая никаких подозрений: заезжие гуляки возвращались к себе в отель (или на судно, учитывая облик Аристида).

Благо идти пришлось недалеко, всего-то до угла — а там с похвальной предупредительностью подкатило такси, не какое попало, конечно, а с их верным водителем, так и остававшимся Мазуру неизвестным ни по имени, ни по воинскому званию. Мазур поместился рядом с кубинцем, а Лаврик сел на заднем сиденье, время от времени бесцеремонными тычками возвращая президента в подобие вертикального положения — тот ни в какую не хотел угомониться, еще не освоившись с мыслью, что он более не способен нормально жестикулировать и говорить.

Нарвались они совершенно неожиданно. На ярко освещенной, безлюдной улице, вывернув из-за угла. От обочины наперерез браво кинулся полицейский в шортах цвета хаки и белой рубашке с широкими синими погонами, взмахнул светящимся жезлом. Еще двое стояли у кромки тротуара — и у одного на плече висела британская магазинная винтовочка, разумеется, британская. По здешним меркам такой вот ночной патруль означал примерно то же самое, что в стране покрупнее — неожиданно выведенные на улицу танки.

Водитель дисциплинированно затормозил и притерся к обочине. Лаврик сказал тихонько:

— Если что — гасим, но, я вас прошу, не до смерти...

Полисмен зашел со стороны водительского сиденья и с ходу попросил предъявить документы, вежливо, но твердо. Остальные двое бдительно таращились на машину, правда, винтовочку с плеча ее обладатель так и не снял.

Проверив бумаги и вернув таковые, полицейский наклонился и заглянул в салон. Улыбаясь ему дружески, Мазур отсалютовал полупустой бутылкой и безмятежно допел:

— I gat some gear wi'meikle care,
I held it weel thegither,
But now its gane, and someting mair,
I'll go and be a sodger...*

---

* Своим горбом
я нажил дом,
хотя и небогатый.
Но что сберег, пошло не впрок,
и вот иду в солдаты!

Особенно внимания страж порядка не обратил ни на него, ни на Лаврика, но на президента воззрился гораздо внимательнее — зрелище было не в пример более экзотическое, нежели двое подвыпивших и одетых вполне прилично молодых людей.

Президент, все еще не растерявший, надо полагать, надежды на чудесное спасение из лап похитителей, замычал что-то и яростно дернулся. Зрелище получилось столь похабное — то ли пьян товарищ в дупель, то ли специфической травки обкурился — что Мазур ухмыльнулся совершенно искренне.

— Эт-то кто такой? — в некоторой растерянности вопросил полицейский.

— Президент Аристид! — рявкнул Лаврик с широченной пьяной ухмылкой. – Не узнали, сэр?

Полицейский хмыкнул, покрутил головой:

— А ведь похож, что самое смешное... Проезжайте, господа!

И отступил на обочину, потеряв к ним всякий интерес. Машина тронулась под блеяние президента, барахтавшегося на сиденье словно угодивший на сушу осьминог.

— Пронесло, — вздохнул Мазур.

— Тебя тоже? — ухмыльнулся Лаврик, панибратски похлопал Аристида по щеке: — Сиди спокойно, чадо непутевое, кто ж теперь в тебя поверит, в такого... А в общем, старая добрая классика. «Кто едет? — спросили караульные. Мазарини! — с хохотом отвечал д'Артаньян». И пропустили их беспрепятственно, хотя в карете именно Мазарини и сидел...

Аристид забился, свалился на пол, в нелепой позе заклинившись между сиденьями. Не без труда извлекши его оттуда, Лаврик сказал веско:

— Сиди и не барахтайся, сукин кот, ты ж все понимаешь... Никто тебя, прохиндея, убивать не собирается, ты даже по морде не получишь, хотя следовало бы... Можешь не верить, но ты сейчас — в компании ангелов-хранителей, которые за тебя костьми лягут в случае чего... Сиди, говорю, а то как двину!

Президент чуточку унялся. Лаврик перегнулся к Мазуру:

— Мы сейчас проедем мимо твоего дома... Эта паршивка наверняка не спит, сидит, как на иголках... Скажешь ей: пусть завтра к рассвету сидит наготове вместе со своим хмырем, и чтобы он непременно прихватил камеру... Усек?

Глава 18
Ихтиандр ночной порой

Мазур, медленно шевеля ластами, плыл примерно метрах в полутора от поверхности моря. Вода была прозрачнейшая, и над головой подрагивали смазанные светлые пятнышки множества звезд, их отражения на спокойной морской глади сплетались в причудливые колышущиеся узоры, и это было, как во сне — невесомость, безмолвие, полумрак и звездное сияние...

На поверхность, конечно, не поднималось ни пузырька отработанного воздуха, такой у него был акваланг. На миг поднявшись над водой, он убедился, что ошибиться не мог, не умел он в таких случаях ошибаться: до фрегата оставалось кабельтова два, на нем не заметно было огней. Погрузившись с головой, Мазур поплыл дальше, рассчитывая каждое движение, каждое сокращение мускулов. Как-никак он шел на боевой заход не к корыту по имени «Виктория», а к боевому кораблю не самого зачуханного на планете военно-морского флота, где на борту имелось немало людей, понаторевших в ремесле с длинным скучным названием «Обеспечение противодиверсионных мероприятий при стоянке на рейде».

Вряд ли на этой коробке объявили повышенную боевую готовность — здесь они ничего подобного не ждали. Но все равно, следовало соблюдать максимальную осторожность.

Он бесшумно загребал одной правой — в левой держал довольно увесистый груз. Плыть с ним было хлопотно, но Мазуру приходилось таскать под водой поклажу и потяжелее, гораздо более неудобную. Пикантность в том, что это была совершенно мирная поклажа, никогда не числившаяся среди оружия и продававшаяся в городе чуть ли не на каждом углу...

Темнота перед ним сгустилась высокой стеной, начинавшейся от поверхности моря — это он приблизился вплотную к подводной части фрегата. Будь при нем мина, где-нибудь именно здесь и следовало ее заложить, но груз оказался гораздо более безобидным, предназначавшимся для строго конкретного места...

Он повернул влево, зашел под корму. Прислушался. Совершеннейшая тишина, как на поверхности Луны. По палубе не бухали шаги, никто не поднял тревоги — благодать...

Мазур повис в воде рядом с винтом фрегата — размах лопастей не уступает человеческому росту — присмотрелся в полумраке, прикинул последовательность действий и на ощупь справился с завязками, крепившими старательно свернутую рыболовную сеть. Отличная была сеть, из первоклассной синтетики, чуть ли не в мизинец толщиной жилки, ячейки размером с портсигар — не для любителей, а для профессиональных рыбаков, занимавшихся крупной рыбой. Рыбка, действительно, попалась крупная, натуральный британский фрегат...

Работенка была не из легких — и довольно непривычная — но он постарался справиться в лучшем виде. Старательно пеленал сетью винт, наматывал ее на вал, так бережно, словно младенчика заворачивал. Когда он закончил, вместо изящного, огромного винта с косыми лопастями образовался некий кокон.

Вот и все, кончился невод... Сильным движением оттолкнувшись от толстенной пластины руля, Мазур двинулся в обратный путь, держась параллельно береговой линии. На миг показался над поверхностью и с одного взгляда оценил, что все в порядке — фрегат все так же возвышался темной громадиной без огней, ни одна живая душа в окружающем мире и не подозревала, что на рейде втихомолку окаянствует целеустремленный ихтиандр...

Впрочем, одна такая душа все же отыскалась — когда Мазур, плывший вдоль пирса, достиг уговоренного места, ему навстречу бесшумно скользнула похожая фигура, словно его зеркальное отражение, и дальше они поплыли вместе, Лаврик с сумкой в руке чуть левее и ниже.

Потом он коснулся Мазура рукой в черной резиновой перчатке и показал вверх. Мазур кивнул, сильным ударом ласт поднялся к поверхности, выставил голову из воды. Узнав нужные лодки, сделал недвусмысленный жест.

Здесь, что приятно, работали с подстраховкой — где-то на причале бдительно отирался «таксист», готовый при необходимости прикрыть с суши. Вряд ли при моторках торчал часовой — на месте Шора Мазур и сам вряд ли оставил бы здесь человека на всю ночь. Это ведь были всего-навсего две обыкновенные, ничем не примечательные моторки, и на них не имелось ровным счетом ничего компрометирующего, криминального — ни единого паршивого патрончика... Две обыкновенные лодки, каких у причала десятки. Только и всего.

Задачка выпала не из легких, манипулировать с сетью было гораздо проще. А тут удержаться не за что, дно моторки плоское, как блин...

Но ничего не поделаешь, работу предстояло выполнить качественно и скрупулезно... Мазур сверлил дырки, а Лаврик в нужный момент подсовывал ему затычки, приходилось вставлять их с величайшим тщанием, словно взрыватели в мины, на нужную длину, чтобы все сработало в лучшем виде.

Муторная была работенка, но поскольку все плохое когда-нибудь кончается, кончилась и она. Совершенно ненужную теперь сумку с инструментами — опять-таки безобидными, навалом в любом магазинчике — Лаврик попросту выпустил из рук, и она благополучно утонула согласно закону всемирного тяготения.

В точности так же поступили и с аквалангами, которые больше не было никакого смысла таскать с собой — отплыв от берега на полмили — глубина там была метров тридцать — просто-напросто освободились от ремней и гидрокостюмов, все это добро тут же отправилось на дно, а они, оставшись в одних плавках, поплыли к берегу, совершенно не торопясь. Все спецслужбы мира и вся здешняя полиция не могли бы их ни в чем обвинить — два заезжих австралийца вздумали искупаться ночной порой, поступок достаточно экстравагантный, но законом не преследующийся.

Мазур выбрался на бережок первым. Место было безлюдное, и на оставленную под пальмой сумку никто не позарился. Они старательно обтерлись полотенцами, оделись и неторопливо побрели к причалу. Поднявшись на него по шаткой деревянной лесенке, зашагали вдоль кромки. К ним молча присоединился таксист, и дальше они шли втроем. Остановились напротив фрегата. Далеко слева светилась россыпь городских огней, в открытом море медленно перемещалась ярко освещенная яхта, откуда едва слышно доносилась музыка, над головой сверкающей россыпью звезд протянулся Млечный Путь. Безмятежность окружающего мира потрясающая. Тишина и благолепие.

— Ну что, по домам? — спросил Мазур.

— А пожалуй, — кивнул Лаврик. — Даже поспать успеем пару часочков, я так прикидываю...

Глава 19
Ихтиандр рассветной порой

Утро выдалось прекрасное, как в этих местах с райским климатом обычно и бывает чуть ли не каждый день. Весь окружающий мир казался зыбким, нереальным: ночи уже нет, а утро еще не пришло, все вокруг окрашено в тысячу оттенков серого, море чуть заметно колышется, на востоке показалась тонюсенькая золотисто-розовая полоса...

Мазур, занявший удобнейшую наблюдательную позицию (он сидел на широкой каменной балюстраде у вершины лестницы), подумал мельком, что в такое утро и при таких декорациях совсем славно было бы, окажись рядом девушка в твоем наброшенном на плечи кителе. Но ничего не поделаешь, не дома...

Ага! На причале показался микроавтобус — обычный серый «фордик», похожий сверху на мыльницу. Он целеустремленно проехал вдоль длиннейшего ряда разномастных суденышек, остановился у тех двух моторок, с которыми они этой ночью вдумчиво поработали. Боковая дверь откатилась назад, стали один за другим выпрыгивать рослые, крепкие ребятки в гражданском, и каждый нес объемистую, тяжелую сумку. Было слишком далеко, чтобы без оптики разглядеть лица, — но, исходя из того, что ему уже известно, Бешеного Майка среди них и не должно оказаться, он сейчас торчит в «Авторемонтной мастерской Парселла», готовый браво двинуться в путь, как только ему сообщат по рации, что казарма занята...

Четырнадцать человек, сосчитал Мазур. Они без суеты, без излишней спешки размещались в моторках. Толковый народ, видавший виды. Ну-ну, плывите, Колумбы...

Мазур закурил очередную сигарету и с некоторым, вполне понятным волнением приготовился ждать дальнейшего развития событий. Перевел взгляд на фрегат.

На его палубе наблюдалось некое оживление — несколько человек не торопясь прошли к корме, остановились там, вроде бы смотрели на берег, вот только что у них на уме и зачем в такую рань появились, поди определи...

Моторы заработали. Лодки по красивой дуге отвалили от причала и пошли в открытое море: почти бок о бок, одна впереди на полкорпуса. Мазур оживился. Начиналось самое интересное.

Он проделывал такую штуку впервые и представления не имел, с какой скоростью все будет происходить, мог только примерно прикидывать.

Они, конечно, идут прямиком к казармам, пересекая по прямой полукруглый залив... Ага!

Мазур привстал, вытянул шею. С моторками происходило нечто категорически непредусмотренное теми, кто на них сейчас плыл с гордым видом конкистадоров... Они ощутимо замедляли ход, одна вильнула, ушла в сторону, выписывая зигзаги. Вот они снова сблизились...

Заметно проседая в воду, на глазах становились ниже, ниже. Потому что погружались... Видно было, как оторопело мечутся на обеих орелики Майка, держа на весу тяжеленные сумки...

Получилось в точности так, как и было задумано. В днище к каждой лодки они с Лавриком просверлили дюжину отверстий диаметром в полдюйма. Заткнули каждое деревянной пробкой — а к каждой пробке надежно присобачена крепкая леска, другим своим концом прикрепленная к причалу.

Дальше было совсем просто. Куски лески были метра в два длиной. Стоило моторкам отойти от причала, как натянулись две дюжины лесок, выдернув моментально две дюжины пробок, и в образовавшиеся две дюжины отверстий радостно и весело заструилась морская водичка... Последствия понятны даже для двоечника.

С огромным удовольствием Мазур наблюдал за развитием событий — суета в лодках (точнее, идиотская толкотня) свидетельствовала о полной растерянности. Лодки погружались, прекрасно можно рассмотреть, что незадачливые путчисты по пояс в воде.

Ну, наконец-то! Они дружненько сыпанули за борт, в ласковые и романтичные карибские волны. Барахтались там, по инерции еще пытаясь спасти тяжеленные сумки с оружием и боеприпасами, а сумки тянули их ко дну. Вот кто-то загребает обеими руками — бросил вон пожитки к чертовой матери, подарил морскому царю, предпочитая озаботиться собственным спасением...

На фрегате тоже помаленьку начиналась нешуточная суета, свидетельствовавшая, что там попытались пуститься в плавание (ну да, якоря уже над водой) и обнаружили, что винт отказывается вертеться... На корме уже толпилось не менее двадцати человек, они перегибались за борт, пытаясь рассмотреть что-нибудь под водой, вот кто-то впопыхах уронил белый тропический шлем, и он булькнул в воду, вот от надстройки бегут еще несколько, и на головах у них офицерские фуражки, прекрасно различимые в лучах восходящего солнца...

И никаких мин с торпедами, мы же не звери, господа, мы прекрасно помним, что между нашими странами нет состояния войны. Сейчас фрегату не могли ничем помочь ни его броня, ни могучие пушки, ни силовая паротурбинная установка мощностью аж в шестьдесят тысяч лошадиных сил. Практически любой современный корабль, как бы он ни был велик, какими бы техническими новинками ни оснащен, превращается в лишенную хода груду железа, если винт у него опутан прозаической сетью...

Конечно, через пару часов они освободятся. За борт пойдут аквалангисты, но пока они ножиками, вручную покромсают сеть на клочки, время будет безвозвратно упущено...

Моторок на воде уже не видно — только головы торчат, судя по их мельтешению, кое-кто еще не оставил надежды спасти поклажу, но большинство не только ее побросало, но и пытается сейчас освободиться от одежды и обуви — до берега далековато обутым-одетым плыть трудненько, к тому же они не морские волки, вон как бултыхаются, сразу видно, что плаванье для них вещь редкая, обременительная, кто-то руками машет и, похоже, орет благим матом. На фрегате определенно в растерянности — вроде бы нужно и шлюпки спускать, спасать терпящих бедствие, и своих житейских забот полно...

Век бы так сидел и смотрел. Чертовски приятно наблюдать со стороны результаты своей работы, проведенной столь изящно и качественно. Но дело было еще не кончено, и Мазур, с превеликим сожалением оторвавшись от увлекательного зрелища, побежал к такси, ожидавшему его поодаль.

Водитель погнал по пустым утренним улицам, время от времени горестно вздыхая — со своей позиции он не мог ничего видеть, а полюбоваться хотелось...

Он увидел грузовик, когда до «Ниагары» и расположенной напротив «авторемонтной мастерской» оставалось еще далеко. Здоровенная древняя пятитонка с брезентовым верхом кузова, судя по виду, помнившая еще чуть ли не Вторую мировую войну.

Так уж несчастливо и нескладно все вышло, что неведомый водитель грузовика зачем-то остановил свою громоздкую развалюху так, что она полностью загородила ворота. Они открывались внутрь, и распахнуть их еще можно было, а вот выехать со двора стоявший там микроавтобус ни за что бы не смог. Надо полагать, водитель, перед тем как раствориться в безвестности, принял все надлежащие меры, чтобы его антикварный экипаж не смогли не только завести, но и сдвинуть с места, это тоже можно было проделать без особых хлопот — оставить машину на передаче, скажем...

Вылезши из машины, Мазур пошел к своему дому, с беззаботностью опытного зеваки глядя на суетившихся вокруг грузовика обормотов. Судя по их унылому виду и бесцельной суете, они уже пытались сдвинуть грузовик с места и убедились, что им сие не по силенкам... Сам Бешеный Майк стоял у кабины, перекатывая во рту незажженную сигарету, и лицо у него было столь примечательное, что Мазур едва не фыркнул в открытую. Физия человека, до которого медленно-медленно, как до жирафа, начинает доходить, что все пропало, что все наполеоновские замыслы летят к чертовой матери, что на перевороте можно ставить крест. Да вдобавок и рация молчит — та, что была на одной из моторок, наверняка уже пошла ко дну вместе с прочим скарбом. Можно смело ставить сто против одного, что в увлекательный и жутковатой биографии Майкла Шора подобных проколов еще не случалось, так идиотски он шлепался мордой в грязь впервые...

«Вот так-то, голубь сизокрылый, — наставительно сказал про себя Мазур, с независимым видом направляясь к черному ходу. — Допрежь тебе везло исключительно потому, что ни разу в жизни не сталкивался с „морскими дьяволами“. Ни единого выстрела, ни одного покойничка, ни одной свернутой на сторону челюсти, даже мозоль никому не оттоптали — а блестяще задуманный переворот, имевший все шансы на успех, обернулся сущей комедией. Можно только представить, что тебе скажут твои наниматели, с какой рожей ты будешь оправдываться, и какая пойдет о тебе слава касаемо профессиональной репутации. Ну что же, постарайся в следующий раз баловать там, где нас нет, глядишь, что и получится...»

Он вошел в дом, громко стукнув дверью — и на лестнице сразу же объявилась милая крошка Гвен, судя по ее лицу, так и не ложившаяся в эту ночь, а за спиной у нее маячил тот волосатик, что столь бездарно мотался за ними по городу.

Пройдя мимо них, как мимо пустого места — только пальцем поманил — Мазур вошел в ее комнату. На столе стояла кинокамера, лежал плоский переносной магнитофон, несколько блокнотов и целая россыпь авторучек — они все же надеялись, что их не обманут, приготовились к интервью...

Подойдя к окну, Мазур вновь поманил их пальцем — оба чуть ли не бегом подбежали — показал вниз и сказал с расстановкой:

— Вон тот дядька, что сейчас проглотит свою сигарету — мистер Майкл Шор. Те придурки, что суетятся — его команда. Вопросы есть?

— Что происходит... — пискнула Гвен с совершенно ошарашенным лицом.

— Да ничего особенного, — сказал Мазур. — Они хотели поехать на том вон микроавтобусике брать штурмом президентский дворец, но по несчастливому стечению обстоятельств не могут выбраться со двора...

— Но... — только и смогла произнести Гвен. — Ты же... Что же это...

— Короче, ловцы сенсаций! — прикрикнул Мазур. — Вы тут единственные репортеры на милю вокруг! Будете ждать, когда приедут конкуренты?

В них словно что-то включилось вдруг: попрежнему ничего не соображали, но здоровый профессиональный инстинкт вел обоих на автопилоте: лохматый схватил со стола камеру и нацелился объективом вниз, а Гвен замерла рядом, жадно таращась на суету вокруг грузовика, они уже совершенно позабыли, что Мазур существовал вообще. Так что и с этой стороны все было в порядке, без сучка, без задоринки, как Лаврик и планировал...

Выйдя из комнаты — оба репортера этого и не заметили — Мазур спустился вниз. Заглянул в кухню. Мистер Джейкобс восседал на своем обычном месте — ну конечно, никакой не супершпион, а самый безобидный алкаш-тихушник... Завидев Мазура, он с отточенным изяществом повторил неведомо в который раз свой коронный номер, плеснув в высокий стакан сначала рому, потом колы и глядя мутными глазами, протянул руку:

— Безобразие, Ричард. Сущее безобразие. Мы с вами так и не выпили еще ни разу...

— В самом деле, безобразие, — весело сказал Мазур, взял у него стакан, приподнял на уровень глаз: — Ваше здоровье!

И в три глотка выцедил жуткую смесь, дружески кивнул и решительно вышел из дома. Уже не глядя на безнадежно торчавших вокруг грузовика орлов-путчистов, зашагал по улице к дому Лаврика. Все здешние воспоминания, впечатления, события и лица уже улетучивались из его сознания, как сон, потому что дело было кончено, цель оказалась достигнута, переворот сорван, и уже не имело ни малейшего смысла думать, как доберутся до берега те, с моторок, как будет выпутываться отпущенный на свободу Аристид и кому именно он толкнет Райскую долину. Все кончилось, и никого из них он никогда уже не увидит, в том числе и бесшабашную принцессу, ничуть не похожую на героиню сказок.

Черт знает что, подумал он лениво. Ни единого трупа, ни единой переломанной конечности. Сначала на Пасагуа, потом здесь. Курорт, а не командировка. Жаль, что в третий раз подобной благодати, чует мое сердце, уже не выпадет — не бывает такого везения... Иначе, того и гляди, мир перевернется.

Навстречу ему катили два открытых джипа, битком набитые полицейскими с винтовками наготове — а следом поспешал один из здешних броневичков, представлявших собой половину здешних бронетанковых сил, рухлядь неописуемая с точки зрения человека, привыкшего к более современному оружию.

Мазур не оглянулся посмотреть на происходящее. И это уже не имело значения, плевать теперь, кто именно вызвал полицию и что ей напел. Майк с компанией наверняка отделается легким испугом, как-никак они ничего не успели тут наворотить, никто не будет устраивать шумный процесс, их попросту вышлют с первым же отходящим судном... Ну и черт с ними.

У дома Лаврика стояло знакомое такси, и задняя дверца была приглашающе распахнута. Мазур ускорил шаг.

«ТАСС. Флоренсвилль. На прошлой неделе в этой маленькой островной республике, бывшей британской колонии, была сорвана попытка государственного переворота. Реакционные круги, недовольные прогрессивными экономическими реформами, объявленными президентом Аристидом, в тесном альянсе с зарубежными разведцентрами наняли группу белых наемников во главе с небезызвестным авантюристом Майклом Шором. Здоровые силы республики, последовательно боровшиеся с ликвидацией последствий колониализма и происками империалистических держав, вовремя предотвратили путч, обезвредив мятежников».

...А поскольку планета наша все же маленькая и тесная, с чем очень многие согласятся, через двадцать с лишним лет, в гостиничном номере, в далекой и чужой стране, лениво перебиравший каналы спутникового телевидения контр-адмирал Кирилл Мазур внезапно наткнулся на передачу, которую едва не «пролистнул», но вовремя узнал главного героя...

Майкл Шор, раздобревший, седой, благообразный, давно уже отошедший от дел и обитавший где-то скромным пенсионером, давал интервью красивой, глуповатой на вид блондиночке с голыми плечиками и улыбкой на сорок четыре зуба. Подробно и со вкусом живописал, как он штурмовал дворцы и парламенты, свергал президентов и отправлял в политическое небытие премьер-министров — одним словом, откровенничал со спокойным хвастовством человека, знающего, что за спиной у него нет не закрытых уголовных дел, и можно без последствий покрасоваться.

А под конец блондиночка, взиравшая на своего визави с неприкрытым восхищением, все же сообразила спросить:

— И что же, Майкл, вы так никогда и не терпели поражений?

И вот тут благообразного старичка *тряхнуло* — но определить это мог только Мазур, ведущая, дуреха, определенно ничего не заметила. Но Мазур-то видел, как *полыхнули* глаза у состарившегося авантюриста. И прекрасно понял ту интонацию, с которой отставной головорез протянул:

— Ну, справедливости ради... Один-единственный раз.

— Расскажите! — взвилась блондиночка.

— Не стоит, я думаю, — сказал Майкл, улыбаясь почти так же ослепительно. — Понимаете, история крайне загадочная и запутанная, я до сих пор ее не вполне понимаю...

И он не врал, определил Мазур, он нисколечко не врал. Блондинка что-то еще чирикала — интересовалась компетентным мнением профессионала о какой-то прогремевшей заварушке — а Мазур, плеснув себе виски без всякой содовой, еще долго ухмылялся в блаженной ностальгии. Двадцать лет, повторял он про себя злорадно. Двадцать лет. Два десятилетия этот хмырь долбаный должен был ломать голову, вновь и вновь восстанавливая в памяти беспроигрышное, казалось бы, дело. И всякий раз не находил ответа. Не мог понять, почему все рухнуло и кто над этим поработал. И эта заноза будет Бешеного Майка мучить до гробовой доски...

Лучше наказания и не придумаешь, ребята?

Красноярск, 2005

Оглавление

Литературно-художественное издание

Александр Бушков

ПИРАНЬЯ.

Озорные призраки

(Русский проект)

Ответственный за выпуск *Д. Хвостова*
Художественный редактор *А. Гладышев*
Технический редактор *Л. Бирюкова*
Компьютерная верстка *И. Слепцовой*
Корректор *А. Ромушкевич*

Подписано в печать 11.02.05.
Формат 84×108$^{1}/_{32}$. Гарнитура «Ньютон».
Печать офсетная. Усл. печ. л. 18,48.
Тираж 115 000 экз. Изд. № 05-7110. Заказ № 4480.

Издательство «ОЛМА-ПРЕСС»
129075, Москва, Звездный бульвар, 23

ОАО ПФ «КРАСНЫЙ ПРОЛЕТАРИЙ»
127473, Москва, Краснопролетарская, 16
входят в группу компаний
ЗАО «ОЛМА МЕДИА ГРУПП»

Отпечатано с готовых диапозитивов
в полиграфической фирме «Красный пролетарий»
127473, Москва, Краснопролетарская, 16